Plaisirs de parfums

ou une invitation à sentir autrement

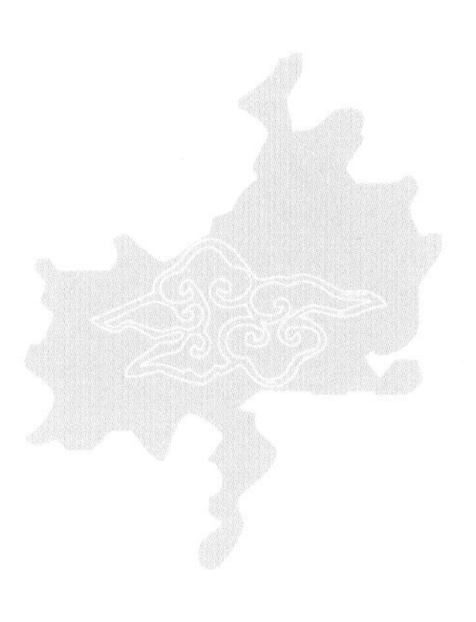

Béatrice Boisserie Coco Tassel

Sommaire

Le parfum, voilà un thème qui parle à tout le monde (qui ne se parfume pas ?) alors qu'ils sont peu nombreux ceux qui parviennent à exprimer leurs impressions olfactives. Invisible et pourtant bien présent, le parfum invite à raconter des histoires et à se raconter soi-même ; il fait appel à la mémoire intime de chacun, à des émotions et à des sensations éprouvées un jour, souvent lors de l'enfance. L'odorat est le sens, longtemps jugé archaïque (dernier vestige en nous du monde animal… ?), par lequel nous accédons le plus directement aux souvenirs. Il *« alerte, renseigne, rassure »*, souligne la parfumeuse Patricia de Nicolaï.

Se mettre au parfum, c'est un peu comme apprendre une langue étrangère. Du vocabulaire, quelques expressions idiomatiques, un peu de grammaire, de l'histoire (celle de la parfumerie et des usages des senteurs) et… beaucoup de pratique : voilà de quoi explorer ce monde aussi étrange que familier. Car rien ne remplacera jamais la fréquentation des grands « jus » et la familiarisation avec les matières premières utilisées pour les composer. Dans l'espace carnet de cet ouvrage, nous vous invitons à raconter les histoires que le parfum vous inspire, à noter vos découvertes, vos expériences, vos souvenirs olfactifs.

Le parfum témoigne aussi des usages d'une époque, d'un rapport au corps et au monde. Donner une vue d'ensemble de la parfumerie du 20e ou du 21e siècle n'est pas pour autant une chose aisée : plus de 500 parfums voient le jour chaque année. Alors, au diable l'exhaustivité ! Belles matières et partis pris olfactifs, grands classiques et parfums dits de niche, voilà ce qui nous a guidés.

Se parfumer, ce n'est pas seulement se soucier de son corps ou faire preuve de coquetterie, c'est aussi projeter une idée que nous nous faisons de nous-mêmes. Le parfum est *« un jeu entre ce qui protège et ce qui dévoile »*, écrit très justement Colette Fellous dans son histoire de Guerlain. Se montrer en se donnant à sentir comme on se donne à voir ; et se cacher derrière cette parure qui fait de nous ce à quoi nous aspirons à ressembler. Nous avons voulu rendre hommage à ceux qui œuvrent — à la composition des fragrances ou dans le conseil à la création — à l'ombre des marques et tenter de comprendre l'imaginaire qui nourrit leur art.

« Tantôt homme, tantôt femme, le parfum
est toujours du côté du souvenir et du côté de la rencontre.
Il est cette histoire simple que tout le monde connaît
et pressent, même en feignant parfois de l'oublier. »
Colette Fellous, *Guerlain* (Denoël, 1987)

Bigarade
L'oranger amer
ou bigaradier est une mine d'or pour le parfumeur. Selon les parties de la plante qu'on utilise et les techniques qu'on met en œuvre, on obtient différentes matières premières. L'huile essentielle, le néroli, est obtenue par distillation des fleurs, l'absolu de fleur d'oranger, produit par extraction de la fleur aux solvants volatils. Les feuilles et les rameaux de l'arbre permettent d'obtenir l'essence de petit grain (par distillation) et l'absolu de feuille d'oranger (par extraction aux solvants volatils), tandis que le zeste de l'orange, traité par expression, donne une essence appelée bigarade.

Bouleau
L'essence de bouleau, distillée à partir de l'écorce de l'arbre, produit une très forte odeur de cuir.

Cèdre
L'essence de bois de cèdre, obtenue à partir de la sciure du bois, rappelle l'odeur des mines de crayon.

Vétiver
La racine de cette herbe produit une odeur terreuse, brûlée, *« humide comme un vieux sac de jute »* selon les mots du parfumeur Jean Kerléo.

Santal
Le bois de santal, dont l'huile essentielle produit une odeur chaude et enrobante, doit attendre plusieurs décennies avant d'être récolté.

Patchouli
Son essence, obtenue à partir des feuilles séchées du buisson, a une odeur camphrée, terreuse, boisée. Une matière première très prisée et qui n'a pas de substitut de synthèse.

Tonka
Les graines contenues dans les fruits de ce grand arbre, appelées fèves tonka, permettent de produire un absolu exploité en note de fond dans les accords ambré et fougère.

Myrrhe et **opoponax**
Les gommes-résines sont obtenues par incision sur le tronc de l'arbre, d'où coule une sève qui va se solidifier.

Cannelle
Son essence s'obtient à partir de l'écorce du cannelier.

Yuzu
C'est du zeste du fruit de l'arbre qu'on obtient, par expression, une huile essentielle de la famille hespéridée.

Tubéreuse
Une fleur blanche au parfum capiteux. Celle de Grasse n'est plus utilisée.

Rose de Mai
Fleurit uniquement pendant trois semaines, à la fin du printemps ! L'absolu rose de Mai *(Rosa Centifolia)* possède une odeur suave, voluptueuse et veloutée. De la rose de Damas (*Rosa Damascena*, qui pousse en Bulgarie, en Turquie), à l'odeur plus puissante, plus fraîche et plus poivrée que la *Centifolia*, on tire une essence et un absolu.

Iris
Une des essences naturelles, obtenue à partir du rhizome de la plante, les plus chères de la parfumerie (environ 30 000 euros le kilo !).

Jasmin
Il faut 10 000 de ces petites fleurs légères, cueillies avant le lever du soleil, pour constituer 1 kilo d'absolu de jasmin.

Vanille
L'absolu et l'infusion de vanille s'obtiennent à partir des gousses sèches du fruit d'une orchidée !

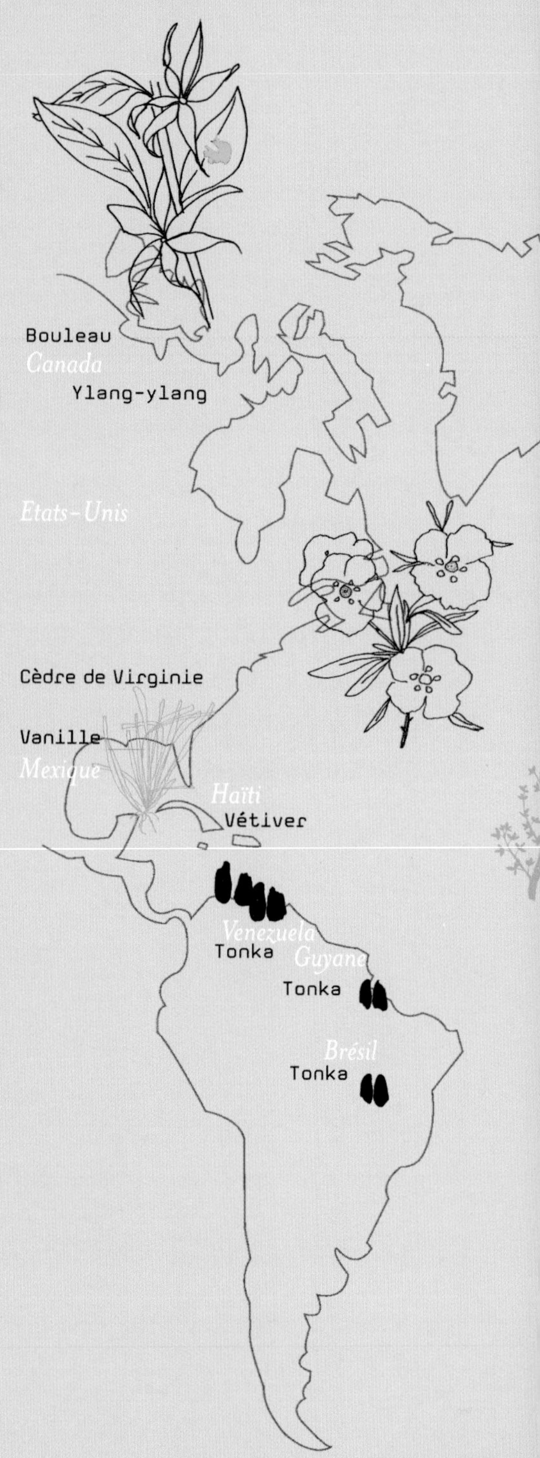

Odeurs du monde

Norvège
Bouleau
Russie
Bouleau
Jasmin Grandiflorum
Rose de Mai
Grasse
Italie
Iris
Mimosa
Violette
Iris
Maroc
èdre de l'Atlas
Egypte
Myrrhe
Jasmin Sambac
Chine
Vétiver
Cannelle
Musc chevrotain
Cèdre
Vétiver
Tubéreuse
Japon
Yuzu
Inde
Santal
Jasmin Sambac
Citron
ôte d'Ivoire
garade
Myrrhe
Ethiopie
Opoponax
Ceylan
Cannelle
Seychelles
Somalie
Patchouli
Vanille
Ylang-ylang
Civette
Tanzanie
Comores
Fleur d'oranger
Vétiver
Java
Indonésie
Patchouli
Ile de la Réunion
Vétiver Bourbon
Vanille
Madagascar
Vanille
Afrique du Sud
Eucalyptus
Australie
Santal

Nez à la bouche

Goût et odorat sont étroitement liés. Notre langue ne perçoit que les saveurs : le sucré, le salé, l'acide, l'amer (et plus récemment, l'unami, une saveur que l'on doit au glutamate de sodium, qui entre dans la composition de la sauce de soja, mais aussi... de certaines algues, du parmesan et de la sardine !). Toutes les autres nuances nous sont données par l'olfaction.

Dîners parfumés

Parfumerie et gastronomie, un même métier sur des supports différents ? Certains parfumeurs se prêtent volontiers au jeu des transpositions olfactives-gustatives avec de grands chefs. Ainsi Christine Nagel (Miss Dior Chérie) avec Alain Passard, chef de L'Arpège, ou Jean-Michel Duriez, nez chez Jean Patou, et le pâtissier Pierre Hermé. Chandler Burr, le critique olfactif du *New York Times Magazine*, organise, lui, des dîners parfumés à New York, Paris, Rome, Florence... Ingrédients communs (épices, herbes, aromates, miel, vanille), procédés similaires (infusion, macération, distillation) : les parfums sont de plus en plus à croquer !

Encensés

Au Japon, « sentir » se dit « écouter ». Comme pour le thé, il existe un art de la cérémonie de l'encens, le kohdo. Les participants sont invités à apprécier les fragrances exhalées par les différentes essences de bois brûlées, puis à interpréter les harmonies et les rythmes des senteurs et à caractériser les émotions qu'elles suscitent.

Des hommes, des vrais

En 2006, Le Mâle de Jean Paul Gaultier (1995) devance l'Eau Sauvage de Dior (1966) et Boss d'Hugo Boss (1998) dans les meilleures ventes de parfums masculins en France. Parmi les dix premiers, le viril Azzaro pour Homme d'Azzaro (1978), le suave Habit Rouge de Guerlain (1965) et l'élégant Allure Homme de Chanel (1999) (source : NPD).

Au kilo

Pour extraire
1 kilo d'essence de lavande,
il faut distiller 200 kilos de lavande.
1 kilo d'essence de néroli,
1 tonne de fleurs d'oranger.
1 kilo d'essence de rose, environ
3 tonnes de roses.
1 kilo d'essence de citron, 1 200 citrons.

Capture des sens

Dans la mythologie grecque, la panthère émettait une odeur parfumée destinée à capturer ses victimes.

Sensations fortes

En 2005, le magazine américain *Visionaire* et la société de création de parfums IFF ont conçu 21 parfums évoquant des sensations comme le froid, la peur, le succès, la violence, l'ivresse...

Trio de tête

N° 5 de Chanel (1921), Angel de Thierry Mugler (1992) et J'Adore de Dior (1999) occupent les trois premières places des parfums féminins les plus vendus en France en 2006 (source : NPD).

Insolites

Parfum star
Dans les années 1950, le couturier Hubert de Givenchy réalise un parfum pour Audrey Hepburn. Lorsque l'idée lui vient, en 1957, de le diffuser, l'actrice s'écrie : *« Mais je vous l'interdis ! »*. L'Interdit, un fleuri qui marie roses bulgares et d'Orient au jasmin et à l'iris, venait de naître (et a été récemment réédité par la marque).

Cléopâtre
En Egypte, les parfums sont aussi au service de la beauté : de petits cônes, en fondant, parfument les cheveux.

Jingle parfumé
En 1972, Serge Gainsbourg signe un thème sur lequel chante Jane Birkin destiné à promouvoir le masculin de Caron Pour un Homme. A écouter dans l'intégrale de l'auteur, *De Gainsbourg à Gainsbarre* (Mercury/Universal).

Sans gène
Une société américaine, My DNA Fragrance, propose de *« mettre votre essence en bouteille »* : après un test ADN, elle élabore une fragrance sur mesure d'après votre séquence génétique. En dix jours, pour moins de 200 dollars, satisfait ou remboursé !

Fidélité
En France, une utilisatrice de parfum sur deux a moins de 24 ans. Les marques voient en elle la cliente de demain : elles la chouchoutent avec des fragrances gourmandes (Angel de Thierry Mugler, Coco Mademoiselle de Chanel), des fleuris joyeux (Les Belles de Nina Ricci, Un Amour de Patou), des chypres délicats (Miss Dior Chérie) et des unisexes frais (CK One de Calvin Klein)...

Soin quotidien
Chaque jour en France sont vendus 143 000 flacons de parfum, dont près de 40 000 pour homme (source : CFP).

Parfums publics
Les espaces publics deviennent de plus en plus odorants : les stations du métro parisien, mais aussi la gare Montparnasse, le parking des Champs-Elysées, l'aéroport de Glasgow, les chambres du Five Hôtel à Paris... En 2007, lors du Festival de Cannes, les rues de la ville ont été parfumées de notes de champagne à l'occasion du lancement publicitaire d'une voiture.

L'histoire enivrante des parfums

Dès la plus haute Antiquité, les hommes ont accordé une place considérable aux matières odorantes et aux parfums. Le lien du parfum et du sacré se transforme au fil de l'histoire. Car lorsque l'homme se parfume, c'est toujours pour se diviniser, pour se parer dans tous les sens du terme, s'empêcher de vieillir, conjurer la maladie, les servitudes organiques et... la mort. D'une époque à l'autre, au carrefour de l'art, de la science et de la technique, l'usage du parfum se fait tour à tour religieux, thérapeutique ou instrument de séduction.

ÉGYPTE, LE PARFUM DES DIEUX

Dès l'Ancien Empire (5e siècle av. J.-C.), les Egyptiens lancent de nombreuses expéditions commerciales, vers le pays du Pount — zone côtière du Soudan et de l'Erythrée actuels — et vers l'Arabie et le Proche-Orient, afin de se procurer métaux précieux, résines et gommes (myrrhe, encens, styrax, opopanax, galbanum), épices (safran) et bois odoriférants (labdanum)... D'Alexandrie, ces matières premières sont embarquées vers la Grèce et l'Italie. La qualité du sol et du climat fait aussi de l'Egypte une terre propice aux plantes odorantes: fleurs de lotus bleu et de genêt, jonc odorant, rhizome de souchet, narcisse, lys, iris rentraient dans les compositions parfumées dont l'époque était friande.

Les festivités religieuses et les pratiques rituelles de l'Egypte antique consacrent une place importante aux senteurs. Aromates et parfums jouent un rôle essentiel dans la momification et dans les rites d'onction qui l'entourent. Pour accompagner le passage de la vie à la mort, les embaumeurs parfument le défunt, un acte censé lui assurer la protection des dieux lors de son arrivée dans l'au-delà.

Le parfum joue le rôle d'un médiateur entre les hommes et le divin. C'est dans la combustion de la myrrhe et la fumée qui s'en élève vers les cieux que serait née l'idée même du parfum (du latin *per fumum*, «par, à travers la fumée»). Chaque jour, les Egyptiens déposent à leurs dieux et à leur souverain des offrandes parfumées (fleurs, encens...) sous la forme de fumigations (résine, myrrhe) ou de kyphi, une préparation aux accords épicés et sucrés contenant jusqu'à trente ingrédients (myrrhe, miel, vin, genêt, safran, rose, coriandre, baies de genévrier)... Ce philtre mythique, premier parfum dont la composition soit connue, est aussi utilisé par les prêtres-parfumeurs dans un but thérapeutique, pour traiter certaines affections pulmonaires ou hépatiques.

Le caractère sacré de l'utilisation des matières parfumées et leur usage thérapeutique n'empêchent pas un usage cosmétique du parfum. Onguents, huiles, baumes purifient, protègent, adoucissent et subliment les corps des élites.

GRÈCE ANTIQUE
L'ODYSSÉE DU BIEN-ÊTRE

La tradition grecque voit sa parfumerie remonter au 13e siècle av. J.-C. Les Grecs croient en l'existence d'être divins révélés par les aromates et les parfums et attribuent à certaines compositions odorantes un pouvoir hautement érotique.

Les contacts permanents avec l'Egypte et l'Asie et les expéditions des navigateurs phéniciens donnent accès aux Grecs aux matières les plus précieuses : aromates, baumes, gommes et résines (encens, myrrhe), épices (safran, cannelle)... La flore locale est abondante : iris, rose, lys, violette, souchet, thym, pavot, fenouil. Au point que les fabriques sont parfois spécialisées : safran de Rhodes, iris de Corinthe, fleurs de vigne de Chypre, *« la terre qui sent bon »*.

Les Grecs inventent des huiles et des graisses aux odeurs de fleurs (iris, rose, lys, marjolaine) dont les riches élégantes s'enduisent le corps après le bain. Mais aussi les athlètes, afin de protéger leur corps des intempéries lors d'entraînements ou de compétitions. Et les guerriers, pour se protéger du soleil et rendre brillants leurs casques et leurs boucliers en vue d'effrayer l'ennemi ! On parfume également vêtements, maison, bains... On utilise aussi des aryballes de Corinthe, objets de forme sphérique qui permettent de répandre l'onguent sur la peau.

A l'époque, certains disent que les dieux grecs ont l'haleine parfumée. Comme en Egypte, on leur rend hommage en brûlant des substances parfumées rares comme la myrrhe et l'encens. De même, les senteurs accompagnent les grand événements de la vie (naissance, mariage) et imprègnent les rituels funéraires. Les défunts, enveloppés dans des linceuls parfumés, sont enterrés avec un flacon à parfum et des fleurs (rose, lys, violette).

Fumigations, frictions, bains : les plantes odorantes ont aussi des préconisations thérapeutiques. Hippocrate affirme que les effluves de safran contribueraient à améliorer le sommeil. Et, plus généralement, que le parfum est *« un remède pour soigner les rhumes, les refroidissements et la mauvaise humeur »*.

L'aryballe de Corinthe permet de répandre l'onguent sur la peau.

ROME
L'EMPIRE ODORANT

De la République à l'Empire, les parfums connaissent un essor formidable. Les conquêtes d'Alexandre le Grand en Asie (4e siècle av. J.-C.) et la découverte de la route des épices et des aromates révolutionnent la parfumerie occidentale de l'époque. En devenant maître de l'Egypte, Auguste s'empare de son empire commercial, faisant de Rome le principal port de la Méditerranée. La Rome impériale du 1er siècle ap. J.-C., qui s'est enrichie et a goûté les charmes de l'Orient, s'étourdit de musique, de jeux et de parfums. Tout se parfume : vêtements, chaussures, et même chiens et chevaux ! L'usage des parfums est considéré comme l'un des plus honnêtes plaisirs de l'homme.

Pot à parfum

Les matières premières végétales les plus précieuses (genêt, labdanum, pin, myrte, encens) provenant de Grèce, d'Orient et du monde étrusque se répandent en Italie. Musc, civette, ambre gris, castoréum font leur apparition comme matières premières animales. Les compositions sont dominées par les épices et les aromates — le safran, la cannelle, le poivre, la myrrhe, le nard et le costus. Les officines proposent divers onguents, pastilles, poudres odorantes et du sapo, pâte moussante ancêtre du savon. Huiles de violette, de marjolaine et de rose embaument l'eau des baignoires des Romaines qui se parent de toilettes safranées et se parfument les cheveux. Les Romains se parfument à la sortie des thermes, pour s'aiguiser l'appétit avant de passer à table.

PARFUM ROYAL, LE COMBLE DES DÉLICES

Le Parfum royal, appelé aussi Onguent royal ou Nardinum, avait été créé par les Romains au 1er siècle pour les rois des Parthes. Pline l'Ancien, dans son *Histoire naturelle*, le décrit comme *« le comble des délices et qui sert de référence en la matière »*.
C'est à partir de son texte que Jean Kerléo, alors parfumeur de la maison Patou, le réalise, à la demande de Michèle Tesseyre. Cette peintre et écrivain recherchait des senteurs de l'époque pour « illustrer » ses toiles dans le cadre d'un projet autour des saveurs et des senteurs de la Rome antique qu'elle menait avec le restaurateur Renzo Pedrazzini. Vingt-sept constituants recensés dans le texte de Pline (costus, cannelle, cardamome, myrrhe, labdanum, safran, marjolaine, miel, vin..., exclusivement végétaux et naturels), mais peu d'indications quantitatives. Les essais ont duré plus d'un an, tâtonnements sur les procédés et sur les proportions pour aboutir à une composition cohérente : une odeur capiteuse et suave, dominée par les épices.

Amphores
pour parfumer les vêtements et les chaussures.

Aspersoir, Istanbul

« L'ARABIE
AUX 1000 PARFUMS »

Le monde arabe occupe une place centrale dans le commerce florissant des épices, des aromates et des baumes (encens, myrrhe). L'Arabie, *« seul pays du monde qui produise l'encens, la myrrhe, la cassia, le cinnamome et le ladanum »*, disait déjà Hérodote au 5e siècle av. J.-C.

A l'époque on utilise l'expression « payer en épices » (devenue plus tard « payer en espèces »), ce qui donne une idée de leur valeur d'échange. On dit que le prophète Mahomet avait un goût prononcé pour les senteurs.

Le parfum fait partie de la vie sociale et religieuse. Les Arabes brûlent l'encens, le styrax, le benjoin, les femmes utilisent de l'eau de rose et se parfument. Les parfums s'utilisent lors des rituels pour éloigner les mauvais génies. Naissance, mariage, mort, sont autant d'occasion pour en faire usage. Le musc, une sécrétion odorante du chevrotain mâle du Tibet, est parfois incorporé au mortier des mosquées.

Jusqu'au 10e siècle en Occident, les parfums sont le plus souvent obtenus en saturant d'odeurs de fleurs toutes sortes de corps gras (principe de l'enfleurage). Les Arabes, eux, font progresser l'art du parfum en améliorant la technique de la distillation, grâce à l'alambic. Cette technique repose sur la capacité de la vapeur d'eau à entraîner les parties odorantes des plantes (fleurs, herbes, feuilles, branches, racines, mousses...) et permet d'en extraire l'huile essentielle. Il s'est depuis considérablement perfectionné. Aujourd'hui, l'hydrodistillation se pratique dans des alambics en acier inoxydable afin d'éviter des colorations de la matière première.

Flacon portatif

LE MOYEN ÂGE
EN ODEUR DE SAINTETÉ

Pomander

Avec la christianisation de l'Europe, les usages profanes des senteurs sont regardés avec suspicion. Les seules odeurs valorisées ont une fonction mystique (encens et myrrhe restent les fragrances sacrées). Les objets funéraires disparaissent. L'Eglise se méfie de ces « *artifices du diable* ».

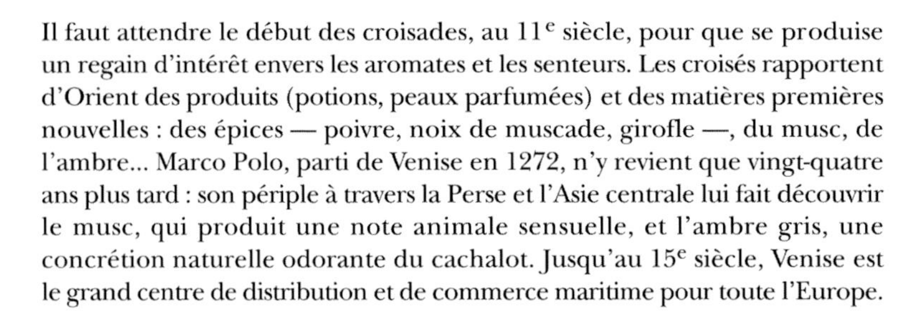

Il faut attendre le début des croisades, au 11e siècle, pour que se produise un regain d'intérêt envers les aromates et les senteurs. Les croisés rapportent d'Orient des produits (potions, peaux parfumées) et des matières premières nouvelles : des épices — poivre, noix de muscade, girofle —, du musc, de l'ambre... Marco Polo, parti de Venise en 1272, n'y revient que vingt-quatre ans plus tard : son périple à travers la Perse et l'Asie centrale lui fait découvrir le musc, qui produit une note animale sensuelle, et l'ambre gris, une concrétion naturelle odorante du cachalot. Jusqu'au 15e siècle, Venise est le grand centre de distribution et de commerce maritime pour toute l'Europe.

L'Europe perfectionne les techniques de distillation dont elle a emprunté la maîtrise aux Arabes. Elle renoue alors avec une parfumerie plus élaborée qui investit l'art de vivre des classes aisées. On parfume les tentures, les meubles, les vêtements. Violette, iris, lavande, rose, bergamote, fleur d'oranger sont en vogue dans les eaux de senteur et les élégantes n'hésitent pas à dissimuler des sachets parfumés sous leurs vêtements ou dans leur linge.

Toutefois, le parfum relève avant tout d'un usage une vertu thérapeutique. Apothicaires et herboristes vendent poudres, lotions et autres sirops purificateurs. Les pomanders ou pommes de senteurs — des réceptacles ajourés de forme sphérique s'ouvrant en deux, qui contiennent du musc, de l'ambre, des résines et des essences parfumées — rendent, dit-on, moins vulnérables aux épidémies qui sévissent (grande peste de 1347). Aspersions d'eau vinaigrée, fumigations d'aromates (thym, romarin, fenouil) et de bois odorants, vins aromatisés sont également utilisés pour lutter contre ces fléaux.

EAU DE LA REINE DE HONGRIE, LA JEUNESSE ÉTERNELLE

C'est la première composition alcoolique d'Occident, à base de romarin et d'esprit de vin (un mélange d'alcool, de vin et de parfum réalisé en appliquant au vin le principe de la distillation). La distillation de l'alcool, remplaçant l'huile comme excipient du parfum, va transformer radicalement la parfumerie. L'Eau de la Reine de Hongrie était considérée comme eau de beauté et de jouvence prévenant ou guérissant toutes sortes de maux. On dit que cette préparation, créée par un moine au 14e siècle pour Donna Isabella, reine de Hongrie, septuagénaire et impotente, rendit sa jeunesse à la souveraine au point qu'elle réussit à se faire épouser par le tout jeune roi de Pologne !

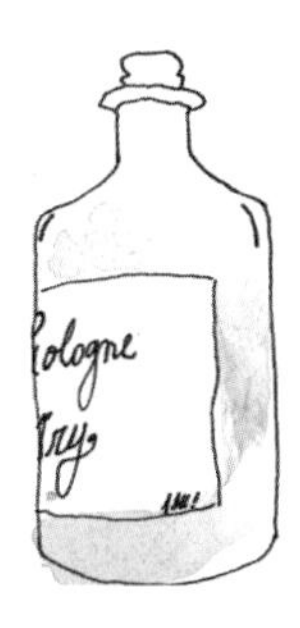

Flacons en bois

RENAISSANCE
LE TOUR DU MONDE DES SENTEURS

Dès le Moyen Age, au 14e siècle, transite par Venise l'essentiel de la production des épices venues d'Orient (cannelle, gingembre, cardamome) grâce aux navigateurs arabes qui ont emprunté la route des épices, jusqu'en Inde et Ceylan. Rose musquée, fleur d'oranger, camphre, gingembre, clou de girofle, ambre, benjoin parfument poudres, eaux, bains de bouche, huiles ou pommades. Les soirées fastueuses de la cité raffinée favorisent les effluves de philtres d'amour au musc et à la civette. Le mariage de Catherine de Médicis au roi de France Henri II, en 1533, va imposer durablement le goût italien, déjà très prisé en France.

Venise perd sa place centrale dans le commerce des produits rares avec l'ouverture de nouvelles routes maritimes par les explorateurs espagnols et portugais qui accroît l'accès de l'Europe aux matières aromatiques — épices, gommes, résines... Christophe Colomb ramène de sa série de traversée entre l'Europe et le Nouveau Monde des produits inédits : vanille du Mexique, fève tonka de Guyane et du Brésil, baume de Tolu du Venezuela, cacao, tabac... Vasco de Gama inaugure un nouveau trajet vers l'Inde, Ceylan, Java, en contournant l'Afrique par le cap de Bonne-Espérance, et en revient avec un chargement de poivre, gingembre, benjoin... Des Philippines, Magellan ramène cannelle, muscade et clou de girofle.

Les eaux de rose, de lavande ou de fleur d'oranger s'associent désormais aux épices et à l'ambre. Les vinaigres aromatiques se multiplient — le Vinaigre des 7 voleurs mélange du vinaigre et des essences de fleurs et de fruits. A cette époque, c'est le changement de chemise qui tient lieu de lavage. Le linge blanc parfumé (aux écorces d'orange et de citron, musc, poudre de violette) efface les odeurs corporelles, et nettoie autant qu'il pare.

Jusqu'au 18e siècle, l'eau n'est pas à la fête pour faire sa toilette. On la soupçonne de véhiculer peste et miasmes. Bains et ablutions sont des pratiques en voie de disparition à la Renaissance : le corps médical, confronté à la multiplication des épidémies, se lance dans une campagne contre l'usage des étuves hérité de l'Empire romain, une peau infiltrée étant susceptible de contracter tous les maux.

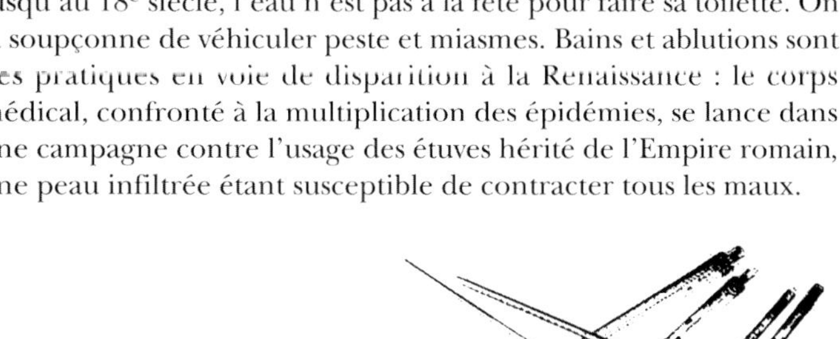

17e siècle

LE PARFUM SOLEIL

Bien que surnommé le « doux fleurant », en quatre ans Louis XIV n'a pris qu'un seul bain ! Versailles impose sa mode et ses usages à la société française et européenne. En particulier celle des parfums, dont la cour s'enivre et qui se déclinent dans de multiples accessoires odoriférants (éventails, perruques...). Eaux et poudres parfumées de notes florales (jasmin, rose, fleur d'oranger, iris...), parfois renforcées par du musc ou de l'essence d'ambre parfumées, embaument les visages et les chevelures.

La création de la Compagnie française des Indes orientales, décidée par Colbert en 1664, contribue à l'essor de la profession de parfumeur. Les échanges commerciaux avec le Nouveau Monde, l'océan Indien, l'Inde et la Chine permettent à l'Europe de recevoir désormais directement des matières premières odorantes du monde entier : cannelle, girofle, muscade, curcuma, musc, patchouli, vétiver, santal...

Les parfums forts et tenaces, faits de musc, de civette ou d'ambre gris, séduisent l'odorat et tentent de pallier le manque d'hygiène général de l'époque. Le parfum nettoie, purifie, repousse, efface, corrige. Son usage vise toujours à renforcer le corps, en transformant et purifiant l'air corrompu.

Flacon, pots-pourris, poudrier

Gant parfumé

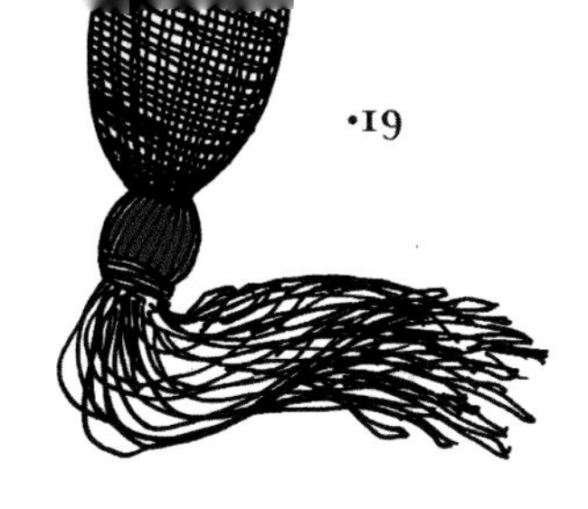

GRASSE, LE PARFUM EN LETTRES CAPITALES

Grasse, renommée pour ses tanneries, noue dès le 12e siècle des liens commerciaux avec Gênes et avec l'Espagne, à qui elle achète des peaux. Dès cette époque, la ville distille des plantes. Elle assoit sa renommée et devient la capitale mondiale du parfum grâce aux gants de cuir parfumés, une pratique qui s'était répandue à la Renaissance sous l'influence de Catherine de Médicis.

Les maîtres gantiers, qui depuis 1614 sont aussi parfumeurs, auront le droit de se qualifier également de poudriers en 1689. Confectionner des gants parfumés est une opération longue et délicate. La profession s'appuie sur les plantes à parfum de Grasse (rose, tubéreuse, violette, jasmin...) et sur les produits exotiques fournis par la Compagnie française des Indes orientales. Après avoir été mises en couleur, les peaux sont « enfleurées », disposées en alternance sur des lits de jonquille, jacinthe, jasmin, rose musquée, tubéreuse, muguet..., puis séchées au soleil.

Au 18e siècle, Grasse s'imposera comme le grand centre de production des matières premières d'origine végétale. Les gantiers parfumeurs, touchés par la crise du commerce des cuirs, abandonneront progressivement la ganterie pour se consacrer exclusivement à la parfumerie.

Cent ans plus tard, les usines de Grasse possèdent des exploitations de plantes aromatiques partout dans le monde et fournissent tous les grands parfumeurs parisiens ; les cultures florales se sont multipliées, de grandes fabriques voient le jour (Chiris, LT Piver, Lautier, Roure, Robertet, Payan-Bertrand...). Mimosa, muguet, lavande, iris, violette, tubéreuse, jasmin, rose, œillet... viennent rejoindre la gamme des produits servant à fabriquer le parfum Fragonard (du nom du père du peintre).

Les progrès considérables accomplis au 18e siècle dans les sciences de la nature sont autant de nouvelles opportunités offertes à la parfumerie, qui lui permettront de prendre son essor au 19e siècle.

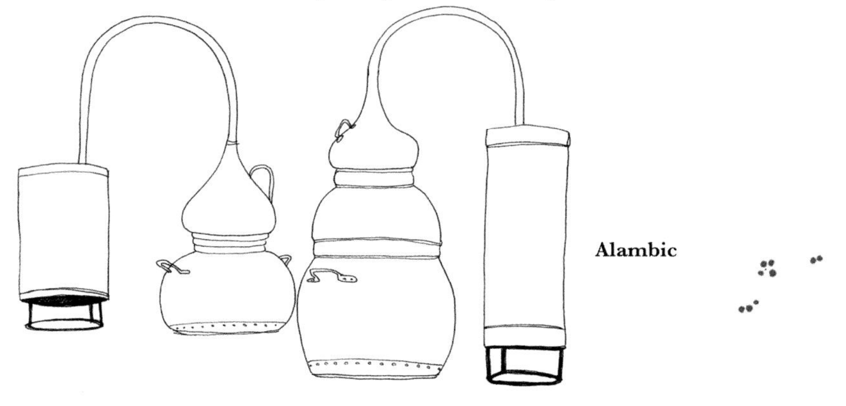

Alambic

18e siècle

LE TEMPS DES PREMIERS CRÉATEURS

Au 18e siècle, le parfum sert à nettoyer, orner, séduire et faire étalage de son rang social. L'entourage de Louis XV est baptisé la « Cour parfumée» car, comme dans la Rome impériale, tout se parfume : vêtements, meubles, éventails... Les eaux parfumées, de fleurs et de fruits, se font plus subtiles. Toutes les cours d'Europe les apprécient et, devant la demande croissante, les premières grandes maisons de parfums ouvrent leurs portes à Paris (Houbigant et Lubin). L'Eau de Lubin, à la fin du 18e siècle, composition d'agrumes, d'aromates et de girofle, accompagnée de baumes et de styrax, a un succès considérable.

Les eaux de senteur concurrencent les vinaigres de toilette dans la lutte contre les miasmes. La peau reste une enveloppe protectrice fragile, linge et parfum concourent toujours à l'expurger de ses humeurs : on la frotte avec des savonnettes au citron ou à l'orange, on s'asperge mains et visage de vinaigre parfumé, on se parfume les cheveux, les gants, les mouchoirs...

A l'approche de la Révolution, les critiques se multiplient contre *« l'odeur des essences et des poudres ambrées »*, le *« danger »* des aromates, les *« troubles provoqués par le musc »*. Dans les livres de médecine, les parfums sont désormais totalement séparés des remèdes. Un espace s'ouvre pour que le parfum, perdant ses pouvoirs thérapeutique et prophylactique, se déploie sur un autre registre : celui de l'art et de la création.

HISTOIRE D'EAU DE FLORENCE À COLOGNE

Depuis le 14e siècle, à la pharmacie du couvent dominicain de Santa Maria Novella, à Florence, les frères préparent des potions et produits aromatiques, dont la fameuse Acqua de Regina. Feminis, un négociant italien devenu apothicaire à Cologne, aurait obtenu auprès d'eux la formule d'une eau parfumée à base d'agrumes. C'est à partir de cette recette que son petit-neveu Jean-Marie Farina crée, au 18e siècle, l'Aqua Admirabilis Coloniae, la première eau de Cologne (romarin, mélisse, bergamote, néroli, cédrat, citron...), qui comptera Napoléon parmi ses adeptes. Un archétype de la parfumerie vient de naître (Yardley, LT Piver, Müehlens...). L'enseigne de Jean-Marie Farina sera vendue, puis cédée à deux cousins, Arman Roger et Charles Gallet dont la maison jouera un rôle central dans la parfumerie moderne (l'Eau de Cologne Extra-Vieille reste le fleuron de la marque).

19e siècle

LA NAISSANCE DE LA PARFUMERIE

Un siècle de mutations, à partir duquel se dessine le paysage olfactif que nous connaissons aujourd'hui. On dit que Napoléon et Joséphine étaient de grands consommateurs d'essences parfumées, on surnommait même l'impératrice la « Folle du musc ». Lubin et Houbigant étaient ses parfumeurs préférés. Quant à Napoléon, son valet de chambre le frottait chaque jour de la tête aux pieds avec de l'eau de Cologne. La Cour se parfumait intensément.

Le début du 19e siècle valorise l'hygiène avec l'émergence de nouveaux espaces : le cabinet de toilette et la salle de bain. Les classes modestes accèdent au savon parfumé, et le savon occupe une place de plus en plus importante dans la parfumerie. L'usage des eaux de Cologne et des vinaigres aromatiques s'étend à la bourgeoisie.

ESSENCES ET ÉPROUVETTES

A partir de 1860, la révolution industrielle bouleverse la parfumerie. Le développement des transports permet d'importer des substances naturelles inédites. De nouvelles techniques voient le jour : des chimistes mettent au point le procédé d'extraction des essences florales par les solvants volatils, permettant d'obtenir de la fleur un produit odorant plus puissant et sans altération.

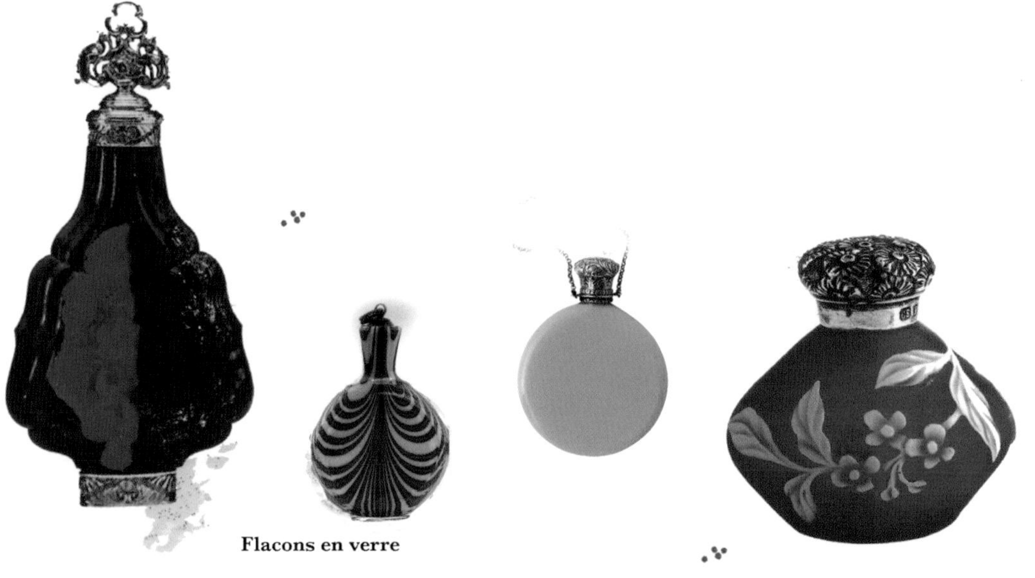

Flacons en verre

Mais ce sont surtout les progrès de la chimie organique qui secouent les habitudes de la composition olfactive. L'essor considérable des sciences de la nature au 18e siècle (recensement des plantes indigènes, étude de leurs propriétés) avait initié le mouvement de découverte des plantes.

FLEURS «MUETTES»

Les scientifiques parviennent à isoler des constituants de produits naturels pour les transformer par réaction chimique : ainsi la coumarine (une note de foin coupée isolée en 1820 de la fève tonka et synthétisée en 1868, qui inaugure toute la famille des fougères), la vanilline (une odeur de vanille, obtenue à partir d'un dérivé de la sève des conifères), le géraniol, à l'odeur de rose, tiré de l'essence de citronnelle, l'ionone, qui sent la violette, le terpinéol (très présent dans les accords lilas mais extrait de l'essence de pin), le salicylate d'amyle (une note champ de trèfle), l'eugénol (qui rappelle le clou de girofle)...
On réussit à faire parler les fleurs dites muettes (lilas, muguet, violette, jacinthe, chèvrefeuille) et, plus tard, on parviendra à extraire des matières fossiles, comme le pétrole ou le charbon, des parfums qui n'existent pas en tant que tels dans la nature (l'alcool phényléthylique, au parfum de rose, du benzène ; l'acétate de benzyle, à l'odeur du jasmin, du toluène).

A l'époque, ces molécules très puissantes déroutaient les parfumeurs et les sociétés de chimie employaient des parfumeurs internes pour les « habiller » dans des précompositions appelées des bases (par exemple, la dianthine, qui sent l'œillet).

PROFESSION PARFUMEUR

Dès lors naît une nouvelle profession, celle de compositeur-parfumeur. Jusqu'ici, le parfumeur disposait d'une centaine d'essences. Grâce aux matériaux de synthèse, extrêmement variés, que lui apporte le chimiste, il sort d'un simple rapport d'imitation de la nature et sa riche palette lui permet de chercher de nouveaux champs et accords olfactifs. Le parfum cesse d'être un mélange d'ingrédients naturels, animaux ou végétaux, et devient une construction artistique et abstraite de formes olfactives.

Vaporisateur en cristal

20e siècle

L'ART DU PARFUM

L'Exposition universelle de Paris, en 1900, consacre la pleine expansion de la parfumerie française devenue industrielle. Les parfumeurs convoquent les grands noms de l'Art nouveau pour décorer leurs espaces: Alfons Mucha et la maison Houbigant, Hector Guimard, à qui l'on doit les bouches de métro parisiennes, et le parfumeur Maillot.

Quelque 300 parfumeurs parisiens font les délices des élégantes d'alors. Guerlain, Roger & Gallet, mais aussi des maisons déjà séculaires (Houbigant, Lubin, LT Piver, Coudray...) lancent quatre ou cinq parfums par an ! Dans les grands magasins, on achète des « bouquets » à la rose ou hespéridés, pour les mouchoirs, des philtres aux notes animales (musc, civette) et des compositions marquées par des fleurs puissantes (œillet, violette) qui annoncent les soliflores.

DUO D'AVANT-GARDE

Au début du siècle, deux hommes font évoluer le métier. Le premier, François Coty, est tombé dans la parfumerie alors qu'il se destinait à la politique. Il est l'un des premiers à marier matières premières naturelles et nouvelles molécules de synthèse et affirme volontiers qu'*« une femme, quelle que soit sa condition, doit pouvoir se parfumer»*. En 1904, il crée La Rose Jaqueminot, un parfum qui suscite l'événement lorsqu'il en renverse une bouteille dans les Magasins du Louvre : toutes les clientes s'arrachent la fragrance ! En 1905, il compose deux parfums qui feront date, même s'ils ont disparu aujourd'hui : l'Ambre Antique, qui donnera son nom à la famille des ambrés (ou orientaux) ; et surtout l'Origan, le premier à contenir de l'ionone, synthétisée en 1898, qui sent la violette, mais aussi de l'iralia, une base (odeur simple composée de plusieurs matières premières) qui reconstitue l'odeur de l'iris, de la dianthine, une formule autour de l'œillet, à la fois sensuelle et poudrée, et du flonol, qui contenait une toute nouvelle molécule à l'odeur de fleur d'oranger.
Le couturier Paul Poiret, lui, crée la marque Les Parfums de Rosine en 1910 en hommage à sa fille. Le début d'une longue tradition qui va faire du parfum le plus subtil et le plus intime accessoire de mode. Bientôt, chez Chanel d'abord, puis chez Lanvin, Patou, Schiaparelli, Rochas, Balmain, Dior, Nina Ricci, Givenchy... marques et créateurs de parfums se donnent le temps et les moyens de composer des fragrances qui deviennent des classiques ou signent leur époque comme des emblèmes.

LES TEMPS MODERNES

Soliflores et parfums fleuris règnent sur la Belle Epoque. Les notes de synthèse récemment découvertes apportent puissance et légèreté aux compositions florales (comme Après l'Ondée de Guerlain, en 1906).

Les orientaux, avec leurs épices et leurs notes ambrées (vanille, baumes), font une arrivée fracassante autour de la Grande Guerre (L'Heure Bleue de Guerlain en 1912). Le Chypre de Coty (1917) et Mitsouko de Guerlain (1919) inaugurent une nouvelle famille de la parfumerie : les « chypres », un ballet olfactif entre la bergamote et les fleurs, sur fond de mousse de chêne et de bois. Les Années Folles font un pas de plus vers l'abstraction. Les aldéhydes modernisent les notes fleuries (N°5 de Chanel, 1921, Arpège de Lanvin, 1927) ; les bouquets (Joy de Patou, 1930) et les orientaux s'épanouissent (Habanita de Molinard, 1925, Shalimar, 1925, et Vol de Nuit, 1933, de Guerlain).

MODES ET PARFUMS

Après guerre, les chyprés se fruitent (Femme, 1944). En 1948, Germaine Cellier signe Vent Vert, un parfum étonnamment rafraîchissant.
Les hespéridés n'ont fait qu'une timide apparition (l'Eau d'Hermès et l'Eau Fraîche de Dior) avant la découverte de l'hédione, dans les années 1960, qui va signer la naissance des eaux fraîches (Eau Sauvage de Dior, Ô de Lancôme). Les sixties voient le come-back des fleuris aldéhydés (Calèche d'Hermès, Madame Rochas).
Dès les années 1970, les lancements de parfums se multiplient, de nouveaux acteurs apparaissent : First de Van Cleef & Arpels (1976) marque l'arrivée des joailliers dans la parfumerie. Les bouquets floraux envahissent le marché (aldéhydés comme Rive Gauche d'Yves Saint Laurent ou White Linen d'Estée Lauder), les orientaux réenchantent les peaux (Opium d'Yves Saint Laurent, Magie Noire de Lancôme, Cinnabar d'Estée Lauder) avant d'exploser dans les années 1980, avec des noms plus provocants les uns que les autres (Must de Cartier, Poison de Dior, Coco de Chanel).
Dans les années 1990, les jeunes créateurs comme Jean Paul Gaultier, Calvin Klein ou Thierry Mugler se mettent au parfum. Les orientaux se font gourmands (Classique, Obsession, Angel) ou fruités et épicés (Jungle de Kenzo). Les facettes musquées enveloppent les compositions d'un voile transparent (Flower de Kenzo).

Parallèlement aux lancements de parfums de plus en plus nombreux, des marques dites « de niche » s'installent sur le marché, attirant une clientèle plus exigeante qui ne se satisfait pas de ces jus censés parler au plus grand nombre : ainsi Diptyque, L'Artisan Parfumeur, Serge Lutens pour les Salons du Palais-Royal - Shiseido, Annick Goutal, Patricia de Nicolaï, Maître Parfumeur et Gantier, puis Frédéric Malle, Jo Malone, The Different Company, Etat Libre d'Orange...

Jicky
1889

GUERLAIN

LE PARFUM TOUT SIMPLEMENT

Pendant longtemps chez Guerlain, le parfum est une histoire de famille. En cinq générations et quatre nez, Pierre François Pascal Guerlain et ses descendants ont composé plus de 700 parfums ! Tous obéissent à son injonction : *« Faites de bons produits, ne cédez jamais sur la qualité. Pour le reste, ayez des idées simples et appliquez-les scrupuleusement. »*

NEZ IMPERIAL

En 1828, le chimiste, qui distille lui-même ses plantes, ouvre sa première boutique à Paris. A l'occasion de l'Exposition des produits de l'industrie française, en 1834, la maison Guerlain expose son Savon des sultanes, de la Crème de roses aux limaçons pour le teint, de l'Eau de la Chine pour se teindre les cheveux... En 1853, Pierre François Pascal Guerlain devient le « parfumeur breveté de sa Majesté », et bientôt de toutes les cours d'Europe. La même année, il crée l'Eau de Cologne Impériale pour l'impératrice Eugénie, où bergamote, citron, romarin, lavande et néroli se conjuguent dans le premier parfum de l'histoire réalisé sur mesure (après l'Eau de la Reine de Hongrie, cinq siècles auparavant !). Cette composition en inspirera bien d'autres : l'Eau du Coq (1894), l'Eau de Guerlain (1974), jusqu'aux Aqua Allegoria (dès 1999) qui font la part belle aux agrumes et aux fleurs fraîches.

En 1889, Aimé Guerlain, fils de Pierre François Pascal, crée Jicky, une triomphale lavande escortée d'aromates (romarin, bergamote) qui bouleverse les codes de l'époque : c'est le premier parfum à user de notes synthétiques (coumarine, vanilline...) pour magnifier les essences naturelles (rose, jasmin, santal, opoponax).

Après l'Ondée (1906) et L'Heure Bleue (1912) restent les deux grandes créations de Jacques Guerlain à la Belle Epoque (le petit-fils de Pierre François Pascal a succédé à son oncle Aimé en 1912). Deux orientaux doux et poudrés, deux versions d'une même sensualité élégante.

Eau du Coq
1894

Vol de Nuit
1933

A l'aube des Années Folles où la garçonne raccourcit ses jupes et ses cheveux et s'enivre d'Orient, le parfumeur compose les mythiques Mitsouko (1919, « mystère » en japonais) et Shalimar (1925, né d'un voluptueux « accident » entre Jicky et un échantillon d'éthylvanilline). Quant à Vol de Nuit, cet oriental au départ vert (galbanum) fleuri par la rose, le jasmin et la jonquille, et boisé par la mousse de chêne, il a été composé en 1933 en hommage au roman de Saint-Exupéry.

Mitsouko
1919

SIGNATURE UNIQUE

Petit-fils de Jacques Guerlain qui lui apprend le métier, Jean-Paul Guerlain reprend le titre de parfumeur maison dès 1958 avec la création du premier Vétiver. Parmi les parfums qu'il compose ensuite : Habit Rouge (1965), où citron et limette côtoient des notes de cuir, d'ambre, de vanille ; Chamade (1969), un bouquet floral boisé et ambré ; Parure (1975), qui interprète le thème fruité de Mitsouko en lui apportant une note de prune séchée ; Nahéma (1979), une rose fruitée et boisée, qui a nécessité plus de 500 essais et quatre ans de travail. Jean-Paul Guerlain raconte qu'avant sa commercialisation il avait fait porter Nahéma par une de ses amies : celle-ci s'était fait suivre par un homme qui avait reconnu que c'était un Guerlain sans parvenir à savoir lequel !

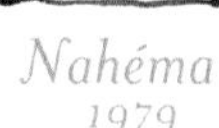

Nahéma
1979

Car les Guerlain ont bien leur propre signature olfactive, la guerlinade (du nom d'un parfum lancé par la maison en 1924). Plus qu'un accord mythique qui signe les jus de la marque (bergamote, rose, jasmin, fève tonka, iris, vanille), c'est *« un état d'esprit, une façon de formuler, de manière assez courte, en créant des overdoses de matières, des reliefs, des défauts »* comme le rappelle Sylvaine Delacourte, directrice de création de la Maison. Après avoir participé à la création de L'Instant (2003) et d'Insolence (2006), elle dirige la collection L'Art et la Matière (Rose Barbare, Bois d'Arménie...), qui défriche les territoires olfactifs des fleurs sublimes et des matières précieuses.

Le parfumeur Thierry Wasser (Dior Addict, Hypnose de Lancôme...) vient d'intégrer la maison Guerlain. Il a déjà signé pour la marque Quand Vient la Pluie, Iris Ganache et Guerlain Homme.

Et aussi : Jardins de Bagatelle (1983), Samsara (1989), Héritage (1992), Champs-Elysées (1996)...

L'Heure Bleue
1912

CARON

MARQUE D'ÉLÉGANCE

Nocturnes 1981

Bellodgia 1927

French Cancan 1936

Avec Guerlain, Caron reste la marque d'une parfumerie d'élégance dont les fragrances ont su avec bonheur traverser le temps. Caron naît en 1904, rue de la Paix, à Paris. Cette année-là, Ernest Daltroff crée le parfum Royal Caron. Ce jeune bourgeois a beaucoup voyagé, au Moyen-Orient et en Amérique du Sud, et les parfums qu'il lance en collaboration avec Félicie Wampouille, une ancienne modiste qui s'occupe du flaconnage et du conditionnement, s'adressent à la haute société européenne et américaine. Après Chantecler (1906), le Narcisse Noir (1911) mêle rose, jasmin et fleur d'oranger sur un fond boisé et musqué. En 1912, ils créent Isadora, en hommage à Isadora Duncan, la grande prêtresse de la danse libre. Pendant la première guerre mondiale, on envoyait aux poilus dans les tranchées des mouchoirs parfumés de N'Aimez que Moi (1916), un accord rose-violette légèrement chypré de mousses et de bois précieux.

SO FRENCH

En 1918, à New York, une exposition consacrée à la mode et à l'élégance française récompense Caron au titre de la maison la plus inventive dans la conception de ses produits. Le cuir poudré Tabac Blond (1919) évoque le tabac de Virginie importé par les Américains en Europe. Une fragrance que la garçonne des Années folles, qui s'enivre de charleston et de cigarettes, ne manquera pas de faire sienne. Il paraît qu'Andy Warhol le portait aussi... Nuit de Noël, un oriental fleuri sur fond de bois rares et de mousse de Saxe lancé pour les fêtes de fin d'année en 1924, illustre lui aussi la frénésie qui gagne la France au lendemain de la Grande Guerre. Avec Bellodgia (1927), un soliflore œillet très ensoleillé, Félicie Wampouille voulait restituer l'odeur de Bellagio, un village suspendu sur les bords du lac de Côme. Pour En Avion (1932), Ernest Daltroff, impressionné par les exploits aéronautiques de l'époque, imagine un sillage séduisant pour celles qui s'identifieraient aux filles de l'air : un oranger épicé gansé de fleurs sur un lit de musc, d'ambre et de bois. Pour un Homme (1934), un absolu de lavandes couché sur un bloc de vanille, la première fragrance masculine réalisée par la marque, représenterait aujourd'hui, à elle seule, plus du tiers des ventes de parfums de la maison Caron !

L'Anarchiste 2000

Narcisse Noir 1911

En Avion 1932

1916
N'Aimez que Moi

Et aussi : le bouquet floral aldéhydé Fleurs de Rocaille (1933) et son quasi-homonyme, au singulier, Fleur de Rocaille (1995). Royal Bain (1941), un oriental fleuri créé pour un milliardaire américain qui recherchait une fragrance afin de remplacer le champagne avec lequel il parfumait ses bains. Farnésiana (1947), un soliflore très mimosa. Muguet du Bonheur, à la note un peu amidonnée, lancé le 1er mai 1952 ! Et Infini (1970), Nocturnes (1981), Montaigne (1986), Parfum Sacré (1990).

MAGIQUE DE PÈRE EN FILS

Depuis 1998, Richard Fraysse est le parfumeur intégré de la maison Caron. Un grand-père qui a signé la première lavande de Yardley en 1913, puis Antilope et Zibeline chez Weil, un père nez de la maison Lanvin pendant plus de cinquante ans à qui l'on doit Arpège, un fils qui a déjà rejoint l'atelier de création Caron... Ce talentueux parfumeur assure vouloir privilégier des essences naturelles rares, comme l'absolu de rose ou de jasmin, et être fidèle à la grande tradition de la parfumerie de luxe. Avec Lady Caron (2000), il rend hommage à l'Amérique où Ernest Dalstroff s'était réfugié en 1939. Il a également créé L'Anarchiste (2000) pour homme, Pour une Femme (2001), un élégant fleuri chypré, Impact Pour un Homme (2005) et l'Eau de Réglisse (2007).

Pour un Homme
1934

N°5
1921

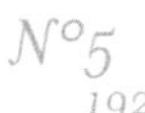

Bois des Iles
1926

CHANEL
SACRÉS NUMÉROS

Installée depuis 1910 rue Cambon (d'abord au 21, puis au 31), à Paris, Gabrielle Chanel commence comme modiste (créatrice de chapeaux) en lançant le style sport auprès des femmes, des tenues simples, pratiques et élégantes qui revisitent le tricot et imposent le jersey. En 1913, elle ouvre une boutique à Deauville, en 1915 à Biarritz, et son succès auprès du Tout-Paris ne se dément pas.

Chanel ne conçoit pas l'élégance sans parfum. *« C'est l'invisible, l'ultime et inoubliable accessoire »*, affirmait-elle. Comme Paul Poiret, le couturier qui libéra la femme du corset au début du 20e siècle, elle décide de proposer des parfums en complément de ses collections. Et connaît vite le succès !

ESSENTIELS ACCESSOIRES

Dans les Années folles, en 1921, elle lance un parfum portant sa griffe : le N°5, créé par Ernest Beaux, un *« bouquet de fleurs abstraites »*. Le parfumeur, né à Moscou de père français, a commencé comme chef du laboratoire et directeur adjoint d'une importante société française de parfumerie installée en Russie, qui fournissait les tsars et les grandes cours d'Europe. A la Révolution russe, il est expulsé de Russie et s'installe à Grasse. C'est lui qui créera aussi pour la couturière le N°22 (1922), Gardénia (1925), Bois des Iles (1926) et Cuir de Russie (1928), des compositions refaites en 1983 par Jacques Polge, nez de la maison Chanel. Ces jus appartiennent aujourd'hui à la série Les Exclusifs, une *« collection de fragrances rares, composées hier par Ernest Beaux, aujourd'hui par Jacques Polge »* : parmi les jus nouveaux perpétuant la tradition de l'excellence, on trouve 31 Rue Cambon, un chypre parfum de peau, Bel Respiro, aux odeurs de garrigue et d'herbe froissée, et 28 La Pausa, où l'iris se fait radieux et poudré.

N°19
1970

Pour Monsieur (1955), N°19 (1970) — en hommage à Gabrielle Chanel (née un 19 août), qui a voulu *« un Chanel plein d'élan »* pour ce parfum fleuri, vert et poudré — et Cristalle (1974), un chypre vert et plein de fruits, ont été créés par Henri Robert (auteur de Magie de Lancôme et Muguet du Bonheur de Caron), second parfumeur de la maison Chanel à partir de 1954.

MODESTIE NATURELLE

Jacques Polge incarne la troisième génération de parfumeurs Chanel. Pour lui, le métier de parfumeur est une rencontre entre l'air du temps, les valeurs universelles de la séduction et l'esprit d'une marque : *« Chanel ne crée pas de parfum de mode, mais des parfums d'époque, faits pour durer. »*

Entré dans la Maison en 1978, formé à l'école de Jean Carles (Roure-Givaudan), Jacques Polge supervise la création des parfums de la marque — Antaeus (1981), Coco (1984), Egoïste (1990), Egoïste Platinum (1993), Allure (1996), Allure Homme (1998), Coco Mademoiselle (2001), Chance (2003). Il est aussi chargé de contrôler les matières premières et la fabrication des produits. Chanel choisit ainsi toujours les plus belles étoffes olfactives pour composer ses parfums : l'absolu d'iris du N° 19 vient de Florence, le jasmin de Grasse et l'ylang-ylang, pour le N° 5, de Madagascar... Avec N° 5 Eau Première (2008), sa dernière création, Jacques Polge réinterprète en l'épurant la célébrissime fragrance d'Ernest Beaux.

Coco Mademoiselle
2001

PATOU

TRÈS CHERS PARFUMS

Moment Suprême
1930

« *Tout homme devrait s'efforcer avant tout d'être de son temps* », estimait Jean Patou. Les premiers parfums que lance le couturier, en 1925, s'adressent chacun à un certain type de femmes : Amour-Amour, capiteux et sensuel, pour les brunes ; Que sais-je ?, plus léger, dédié aux blondes ; Adieu Sagesse, aux accents épicés, créé pour les rousses... Suit Le Sien (1929), frais et tonique, « *convenant parfaitement aux hommes, mais également aux femmes résolument modernes qui jouent au golf, fument et conduisent à 120 km/h* ». De son temps, donc...

FLEURS HAUTE COUTURE

En 1910, Patou ouvre une maison de couture à Paris, qu'il délaisse jusqu'en 1919 : en effet, le 2 août 1914, jour où doit être présentée sa première collection, est celui de la mobilisation générale de la France contre l'Allemagne ! En 1930, un an après le krach de Wall Street, Patou lance Joy, créé par Henri Alméras, « *le parfum le plus cher du monde* ». Un somptueux bouquet de fleurs rares, une fragrance haute couture, comme un pied de nez à la crise qui a ruiné ses riches clientes américaines. Pour une once de Joy, il faut plus 10 000 fleurs de jasmin (de Grasse) et plus de 300 roses (roses de Mai et roses de Bulgarie) !

Sublime
1992

En 1935, la maison fête, avec le parfum Normandie, la traversée inaugurale du transatlantique vers New York. Les passagers de première classe reçoivent un flacon de parfum en forme de paquebot ! En 1936, Patou (qui meurt cette année-là) célèbre les accords de Matignon et les premiers congés payés en lançant Vacances. Deux ans après sort Colony, dans un flacon en forme d'ananas, créé à l'occasion de l'Exposition coloniale de la France d'outre-mer. L'Heure Attendue, en 1946, célèbre la Libération.

Voyageur
1995

L'Heure Attendue
1946

Vacances
1936

1000
1972

Joy
1930

TRADITION MAISON

En 1967, Jean Kerléo devient le parfumeur attitré de la maison Patou. On lui doit le parfum 1000 (1972) : un bouquet floral explosif, un *« super-Joy »* selon ses mots, qui reprend le thème du jasmin de Grasse et de la rose de Bulgarie mais l'accompagne de notes boisées (vétiver, santal, patchouli) et fruitées (pêche, abricot). C'est la première fois que la fleur d'osmanthus, aux notes subtilement abricotées, est utilisée en parfumerie. A sa sortie, mille flacons de 1000 sont déposés en Rolls-Royce aux mille Parisiennes les plus influentes de l'époque. Jean Kerléo a également composé l'Eau de Patou (1976), Sublime (1992), Ma Liberté (pour promouvoir cette fragrance, *Le Quotidien de Paris* avait parfumé son édition du 16 mars 1987)...

Depuis 1997, Jean-Michel Duriez est le parfumeur exclusif de la maison Patou et le gardien des traditions. Il a notamment composé Un Amour de Patou, Enjoy, Sira des Indes, autour d'une idée de milk-shake banane-vanille, et En Patou, une fragrance réalisée pour le passage en l'an 2000, lancée à 2 000 exemplaires et vendue... 2 000 francs le flacon ! Il compose aussi des parfums sur mesure dans la boutique de la Maison, rue de Castiglione, à Paris.

Ma Liberté
1987

Sira des Indes
2006

Eau Sauvage
1966

DIOR

PARFUMS DE COLLECTION

Christian Dior présente les 90 modèles de sa première collection en février 1947 dans un salon de l'avenue Montaigne, à Paris. L'inventeur du New Look (c'est ainsi que le magazine américain *Harper's Bazaar* surnomme sa collection) est né à Granville en 1905 ; il a d'abord fait Science Po et ouvert une galerie de peinture, exposant Picasso et Fernand Léger. Apprenant le b.a-ba du croquis de mode, il devient assistant du couturier Lucien Lelong (lui-même lancera 40 parfums en vingt-cinq ans à peine !) au côté de Pierre Balmain, puis premier modéliste en 1945.

Partisan d'une mode globale où la haute couture se lie volontiers aux accessoires et aux cosmétiques, il crée la même année la Société des parfums Christian Dior, au côté de son ami d'enfance Serge Heftler, et lance Miss Dior au moment de sa première collection. *« J'ai créé ce parfum pour habiller chaque femme d'un sillage de désirs, et voir surgir de son flacon tous mes vêtements »*, dit-il à propos de ce chypre vert signé Paul Vacher (coauteur d'Arpège de Lanvin) et Jean Carles (Canoë de Dana, Shocking de Schiaparelli, Ma Griffe de Carven). Le flacon, en forme d'amphore en cristal Baccarat, ne sera diffusé qu'à 200 exemplaires l'année de sa création.

FORMES OLFACTIVES

Dès 1949, c'est Edmond Roudnitska, *« parfumeur-compositeur »* (il se définissait lui-même ainsi) qui va signer les parfums Dior pendant près de trois décennies. Christian Dior disait de lui : *« J'ai tout de suite eu l'impression que nous parlions la même langue. Nous nous comprenions à demi-mot. »*
Au couturier, mort en 1957, survivra son alter ego parfumeur, par ailleurs auteur de Femme de Rochas (1944) et de l'Eau d'Hermès (1951). Après avoir acquis une bonne connaissance des matières premières naturelles et synthétiques dans un laboratoire d'analyse grassois, Edmond Roudnitska apprend les techniques de composition auprès d'un parfumeur, puis cherche à apprivoiser les molécules de synthèse. Il sera le premier à utiliser l'hédione dans Eau Sauvage (1966). Cette matière première synthétique à l'odeur jasminée permet de fixer l'eau fraîche. Le résultat ? *« Une composition très stricte, simplifiée, aérée, dépouillée »* selon les mots de son créateur.

Dioressence
1979

Et aussi : Dioressence (1979), Jules (1980), Poison (1984), Fahrenheit (1988), Dune (1991), Dolce Vita (1995), J'Adore (1999), Dior Addict (2005), Miss Dior Chérie (2006), Dior Homme (2007), Escale à Portofino (2008)...

Dior Addict
2005

Par son travail, Edmond Roudnitska souhaitait réhabiliter la dimension esthétique et intellectuelle de la création de parfums, n'hésitant pas à manier les molécules de synthèse pour inventer de nouvelles formes olfactives. Pour Dior, il composera notamment Diorama (1949, un parfum d'hiver aux notes chaudes et florales), Eau Fraîche (1953, son interprétation de l'eau de Cologne sur fond de bois de rose et de mousse de chêne), Diorissimo (1956, le dernier parfum composé du vivant de Christian Dior, un soliflore muguet qui mêle toutes les senteurs d'un jardin de printemps), Diorella (1972) et Dior Dior (1976).

SENTEURS COUTURE

En 2004, Hedi Slimane, directeur artistique de Dior homme, imagine trois eaux de Cologne, Eau Noire, Cologne Blanche et Bois d'Argent, qui cultivent les senteurs poudrées dans un esprit couture. Pour les 60 ans de la maison Dior, en 2007, John Galliano et le parfumeur François Demachy, directeur du développement olfactif du groupe LVMH, ont lancé une Collection Particulière — trois luxueux parfums floraux, en édition limitée — en hommage aux muses du couturier. Leurs noms ? Des numéros, comme les passages d'un défilé de haute couture. Passage n°4, une rose subtile aux notes musquées et ambrées ; Passage n°8, un trio délicat d'iris, de violette et de musc ; Passage n°9, une magistrale tubéreuse boisée par le patchouli.

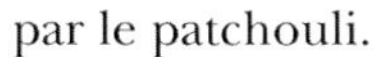

J'Adore 1999

Dolce Vita
1995

Dune
1991

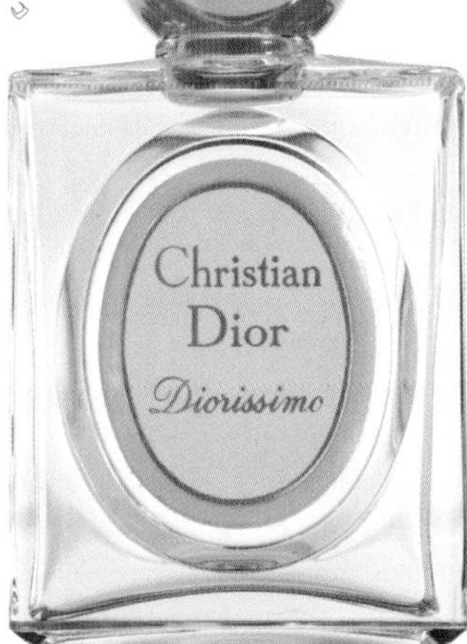

Diorissimo
1956

LE PARFUM DE DEMAIN

Une partie de la parfumerie d'aujourd'hui se dirige vers toujours plus de pureté, de transparence et de confort. Des molécules de synthèse comme le dihydromyrcénol, qui incarne à lui tout seul la facette nouvelle fraîcheur (des parfums dans la lignée de CK One de Calvin Klein), ou les muscs blancs et leur odeur douce et enveloppante (comme dans les Kenzo depuis Flowers) ont la part belle dans les quelque 500 parfums qui sortent chaque année en France. Les orientaux fleuris nous étourdissent (Burberry Brit) et s'enhardissent de notes fruitées (The One de Dolce & Gabbana). Le chypre se modernise (Chypre Rouge de Serge Lutens), le musc de synthèse remplace la note animale.

SOCIÉTÉS DE CRÉATION

Les marques appartiennent bien souvent à de grands groupes (Dior, Givenchy, Guerlain au groupe LVMH), notamment lessiviers (Procter & Gamble a racheté les parfums Patou et Rochas), et rares sont les maisons aujourd'hui qui ont encore un nez attitré : Chanel (Jacques Polge), Hermès (Jean-Claude Ellena), Patou (Jean-Michel Duriez), Cartier (Mathilde Laurent) et Guerlain (Thierry Wasser). La plupart d'entre elles font appel à des sociétés de création de parfums (comme Givaudan, IFF, Firmenich, Symrise, Takasago...). A partir des « briefs » que leur confient les marques (des histoires que le parfum devra raconter), parfumeurs, chimistes et coloristes s'affairent dans le cadre d'un appel d'offres à leur proposer des fragrances conformes à leurs intentions — de belles réussites (Dior Homme, Infusion d'Iris de Prada...) mais parfois des jus consensuels, formatés pour plaire au plus grand nombre et se vendre le plus vite possible, à grand renfort de publicité.

LUXUEUSES COLLECTIONS

Une des tendances actuelles est de revenir à la « belle parfumerie », mélangeant un savoir-faire, de belles matières premières et de vrais partis pris olfactifs (collections particulières, parfums millésimés, éditions éphémères, sur mesure...). Et laisser aux créations le temps de s'installer. Ainsi Guerlain a créé la collection L'Art et la Matière (Rose Barbare, Angélique Noire, Cuir Beluga, Spiritueuse Double Vanille, Cruel Gardénia...), Hermès a lancé ses Hermessences (Ambre Narguilé, Vétiver Tonka, Paprika Brasil...), L'Artisan Parfumeur ses Récoltes (Fleurs de Narcisse en 2006, Fleurs d'Oranger et Iris Pallida en 2007) et Dior ses Colognes et sa Collection Particulière. Quant à Chanel, ses Exclusifs regroupent des jus créés par Jacques Polge (Coromandel, Sycomore...) mais aussi des parfums nés de l'imagination du parfumeur Ernest Beaux et des passions de jeunesse de Coco Chanel (Bois des Iles, Cuir de Russie...).

PATRIMOINE OLFACTIF

Car, depuis plus de vingt ans, et sous l'influence des marques de niche (comme la maison Nicolaï), les grandes maisons rééditent leur patrimoine olfactif. En 1984, Jean Kerléo, le parfumeur-créateur de la maison Patou, s'attelle à refaire à l'identique, grâce aux archives de la marque, 12 jus qui avaient été lancés par Patou avant la deuxième guerre mondiale (Colony, Normandie, Vacances.) Depuis 1990, la maison Guerlain a relancé une vingtaine de fragrances disparues, sous l'œil attentif du parfumeur Edouard Fléchier, chargé des reformulations. Quant à Caron, qui vend ses « classiques » dans des fontaines, ses clientes l'ont contraint à rééditer N'Aimez que Moi (1916) et Tabac Blond (1919).

Mais aussi : Soir de Paris de Bourjois (1928), L'Interdit de Givenchy (1957), Magie (1952), Climat (1967), Sikkim (1971) et Sagamore (pour homme, 1985) de Lancôme ; Cœur Joie (1946), le premier parfum de Nina Ricci, Capricci (1961), Fille d'Eve (1962) et Farouche (1974). A quand une réédition de l'Origan de Coty... ?

PARFUMS RECOMPOSÉS

Les jus classiques et les compositions anciennes ont parfois bien changé. Plus question aujourd'hui — pour respecter les normes internationales, protéger l'environnement ou en raison d'un coût trop élevé — d'utiliser des matières premières animales comme l'ambre gris, concrétion naturelle du cachalot (note animale suave aux accents de rivages marins), le musc et la civette.

Quant aux matières premières allergènes, photosensibilisantes ou irritantes, les directives européennes et celles de l'IFRA (International Fragrance Association) se multiplient afin que les marques limitent leur utilisation ou déclarent leur présence dans une composition (essence de costus, essence de bergamote, mousse de chêne ou limonène, présent dans les essences d'agrumes). Les parfums sont donc sans cesse recomposés, même si les marques communiquent peu là-dessus.

« *Mais la nature est très inventive* », souligne Markus Gautschi, chimiste chez Givaudan. Les chimistes tentent depuis longtemps de prélever des odeurs dans la nature. Le headspace, une technologie mise au point par les laboratoires de Givaudan dans les années 1970, permet de capturer l'odeur naturelle d'une fleur, d'un arbre ou d'un fruit sans les détruire et sans en altérer le caractère olfactif, contrairement aux techniques traditionnelles (enfleurage, distillation, extraction aux solvants volatils). Les composants odorants sont ensuite analysés au moyen de la chromatographie et de la spectrométrie de masse, procédés qui permettent d'identifier les molécules odorantes présentes dans une composition et d'en calculer fidèlement la proportion.

NOUVELLES PLANTES EXPLOITABLES

Les laboratoires cherchent donc toujours de nouvelles plantes exploitables et mènent des recherches sur les produits naturels qu'ils découvrent pour en connaître la composition. Depuis les années 1990, les « chercheurs d'odeurs » de Givaudan explorent le monde (Indonésie, Gabon, Guyane française...) avec leur technologie. En 2001, à l'aide d'un dirigeable survolant la canopée de Madagascar, ils parviennent à recueillir 90 nouvelles odeurs de fleurs, de fruits et de bois qui, une fois reconstituées chimiquement, entreront dans la composition de nouveaux parfums. L'année d'après, ils ramènent d'Afrique du Sud une vingtaine de senteurs inédites parmi les 20 000 espèces de fleurs odorantes qu'ils ont recensées. En 2003, ils parviennent à reconstituer chimiquement des fragrances appartenant à l'histoire culturelle du sud de l'Inde : la fleur de henné, la fleur de santal, le lotus bleu...

Pour préserver la biodiversité de ces régions du monde et faire face à un marché exigeant toujours plus d'innovations olfactives, Givaudan a mis en place une double stratégie : d'abord le développement des filières sécurisant l'approvisionnement de certaines matières premières naturelles (la fève tonka du Venezuela, le santal d'Australie, le benjoin du Laos); puis des tentatives pour synthétiser des molécules puissantes au seuil de perception très bas, susceptibles de remplacer des molécules naturelles (par exemple le Javanol, une molécule à odeur santalée, permettant de se substituer à l'huile de bois de santal indien qui a été tellement utilisée dans les années 1970 que la plupart des arbres ont été décimés).

Perso

Balzac aurait demandé à Pierre François Pascal Guerlain de lui composer une eau de toilette avant d'écrire *César Birotteau* (1820). Colette était fidèle au Jasmin de Corse de Coty (1906). Gloria Swanson rend voluptueusement hommage à Narcisse Noir de Caron dans *Sunset Boulevard* (1950). Joséphine Baker portait Sous le Vent de Guerlain (1933), réédité par la marque. Catherine Deneuve serait une fidèle de L'Heure Bleue de Guerlain (1912). Karl Lagerfeld porte Nuit de Noël de Caron (1924) chaque 24 décembre. Philippe Noiret s'était fait composer un parfum Guerlain sur mesure et Jean-Claude Brialy, lui, s'était fait refaire Mouchoir de Monsieur (1904), un parfum qui n'était plus édité par la maison.

Air du temps

On n'arrête pas le progrès ! Se réveiller avec des agrumes, s'endormir à l'odeur d'essences relaxantes, c'est désormais possible : depuis 2005, au Japon, grâce à un Aromageur, un diffuseur d'odeurs raccordé à l'ordinateur, on peut se connecter à un véritable « portail d'odeurs » qui permet de choisir un univers olfactif ad hoc. En 2001, le laboratoire de recherche de France Télécom à Tokyo avait déjà développé, en collaboration avec le Bureau interprofessionnel des vins de Bourgogne, un prototype pour faire humer les grands crus français.

De l'eau dans le gaz

Ne l'appelez plus jamais Champagne ! Le jus très fruité qui pétille comme un mousseux à la pêche lancé par Yves Saint Laurent en 1993 a dû être rebaptisé, YSL, puis Yvresse, au terme d'un procès intenté par le Comité interprofessionnel du vin de Champagne.

Anti-parfums

La maison Comme des Garçons ou la désincarnation du parfum : depuis 1998, la marque japonaise lance une série d'anti-parfums, *« juste des idées abstraites et des formules chimiques »*. Parmi elles : éclat du métal, paix et oxygène, buée photocopiée, haleine de bébé, poussière de plume, tonnerre de verre, linge séchant dans le vent, désespoir des formes à venir...

Pourcentage

L'extrait (qu'on appelle aussi parfum) est la forme la plus fidèle du parfum (de 20 à 30 % de concentré), il se dépose à même la peau. L'eau de parfum (de 10 à 20 %) laisse un sillage intense ; l'eau de toilette (10 %), moins tenace, a des notes de départ plus riches ; l'eau de Cologne et l'eau fraîche (moins de 10 %) conviennent à celles qui veulent, en toutes circonstances, garder leur légèreté.

A l'école des « nez »

Comment devient-on parfumeur ? Pendant longtemps, les Grassois se sont formés sur le tas, auprès de parfumeurs de la région. En 1946, Jean Carles ouvre la première école de parfumerie au sein de la fabrique de matières premières Roure, à Grasse. Certains de ses élèves sont ensuite intégrés dans l'entreprise en vue de composer des fragrances pour les couturiers, qui n'avaient pas de laboratoire. Depuis, Roure, qui a fusionné avec Givaudan en 1991, a déplacé son école de parfumerie à Argenteuil et forme chaque année trois ou quatre parfumeurs en trois ans. En 1970 Jean-Jacques Guerlain, alors à la tête de la Fédération française de la parfumerie, crée l'ISIPCA (Institut supérieur international de la cosmétique et de l'aromatique alimentaire), à Versailles.

Insolites

Air de famille

Les parfums sont une grande famille : sans l'Origan de Coty, et son accord iris-œillet-violette, pas d'Heure Bleue de Guerlain (on dit d'ailleurs que chaque fois qu'un parfum Coty créait l'événement, un Guerlain lui répondait quelques années après...). Sans l'oriental capiteux Youth Dew d'Estée Lauder, aux effluves d'ambre, d'encens, d'orange et de benjoin, pas d'Opium d'Yves Saint Laurent. Sans Paris du même Yves Saint Laurent, pas d'Eternity de Calvin Klein, qui a repris sa note rose en lui apportant une note framboise et une fraîcheur muguet.

Premier-nez

Publié en 1555 à Venise, le premier traité de parfumerie, qui constituera pendant plus de deux siècles la base de tous les livres sur la profession, recense 328 préparations parfumées. (Source : CFP)

Fidélité

On dit que si vous ne sentez plus votre parfum, c'est que son sillage est fait pour vous. Pourtant, moins d'une femme sur cinq ne serait fidèle qu'à une seule fragrance.

Mémoire olfactive

Dès le 3e mois, le fœtus ressent les odeurs. A sa naissance, le nourrisson est capable de reconnaître celle de sa mère. Pour un bébé, une odeur n'est ni bonne ni mauvaise — sauf celles qu'il a déjà expérimentées in utero et qu'il percevra plus tard comme agréables. C'est avant l'âge de 4 ans que les odeurs deviennent attractives ou répulsives, par éducation et expérience alimentaire. Et avant 6 ans que se forge l'essentiel de notre mémoire olfactive.

Combien ça coûte ?

Ce n'est pas parce qu'une matière première est synthétique qu'elle est forcément moins chère qu'une matière première naturelle. Les procédés d'obtention sont longs, complexes et donc coûteux. Ainsi l'ambroxan, une molécule de synthèse qui produit une note ambrée sèche, coûte environ 800 euros le kilo. Tandis que la même quantité d'essence d'orange se vend entre 5 et 10 euros.

Prêt ? Partez...

Dans 60 % des cas, c'est dans les douze premières secondes que se fait le choix d'un parfum.

Odora... dmirable

Un créateur de parfums est capable de mémoriser près de 3 000 odeurs ! L'odorat est celui de nos sens qui vieillit le moins vite et dont la mémoire est la plus durable. Pourtant il n'y a pas, en olfaction, d'observateur standard ni d'instrument de mesure objectif : les récepteurs qui tapissent notre nez, de véritables expansions de notre cerveau, ne sont pas activés chez tout le monde de la même façon. Ainsi, pour une même odeur, il y a des différences de sensations et d'intensité. Et les images olfactives que nous formons à partir des odeurs que nous humons nous sont propres, car la mémorisation d'une odeur se fait toujours dans un contexte affectif. Une seule molécule perçue (pas même une odeur, composée de plusieurs molécules) est capable de déclencher une image olfactive dans le cerveau !

Le parfum sous toutes ses coutures

Toute la nature concourt à donner du matériel au parfumeur : racines (iris, vétiver), fleurs (jasmin, tubéreuse, ylang-ylang), bois, écorces (bouleau, cannelle), résines (galbanum, opopanax), aromates, bourgeons, fruits (citron, bergamote), graines (coriandre, fève tonka), feuilles (de violette), tiges, lichens et... sécrétions animales (civette, musc).

ESPRIT DE SYNTHÈSE

Le parfumeur profite aussi des travaux des chimistes qui inventent de nouveaux matériaux : des molécules qui n'existent pas dans la nature ou qui sont extraites des plantes avant d'être reproduites synthétiquement. L'occasion de varier le registre de ses créations et de produire de nouveaux effets olfactifs. Certaines matières premières fournissent une odeur (la rose, le citron,...), d'autres arrondissent une composition (les muscs blancs, qui évoquent le linge propre, la peau de bébé, les fruits rouges), lui donnent de la fraîcheur (l'hédione), du volume et de la pétillance (les zestes d'agrumes, les aldéhydes), de l'amplitude, de la puissance ou de la tenacité.

Les plus grands parfums contiennent des matières premières synthétiques et c'est même leur découverte qui a donné ses lettres de noblesse à la parfumerie moderne. Ainsi pas de Jicky de Guerlain (1889) sans coumarine, qui sent le foin coupé, ni salicylate d'amyle, une note champ de trèfle. Pas d'Heure Bleue (1912) sans ionone, à l'odeur de violette. L'Eau Sauvage de Dior (1966) doit sa tenue impeccable à l'hédione, une molécule à l'odeur jasminée. CK One de Calvin Klein (1994) n'existerait pas sans le dihydromyrcénol, une note qui cogne, à la fois puissante et fraîche. Ni Angel de Thierry Mugler (1992), sans l'éthyl maltol, un corps de synthèse à l'odeur de caramel.

Dans son orgue à parfums, le parfumeur a ainsi à sa disposition plusieurs milliers de matières premières différentes, dont 400 ou 500 seulement d'origine naturelle, le reste étant constitué de corps de synthèse, comme les aldéhydes, et de « reproductions » (de petits accords olfactifs synthétiques, fruités ou fleuris, que le compositeur va retravailler). Il utilisera entre une vingtaine de composants et près de deux cents.

COMME UN AIR DE MUSIQUE

Les parfums sont loin de n'être une somme d'odeurs. Ils sont construits, à partir de formules élaborées par le parfumeur, un peu comme des partitions musicales. On parle d'ailleurs de notes olfactives (caractérisant l'odeur d'une matière première), de thème et d'harmonie d'un parfum. En 1865, le parfumeur anglais Septimus Piesse avait établi une gamme de correspondances entre les notes et les odeurs. Il parlait d'octaves de parfums, de matières premières qui s'allient entre elles comme une mélodie. *« Il y a des odeurs qui n'admettent ni dièses ni bémols et il y en a d'autres qui feraient presque une gamme à elles seules, grâce à leurs diverses nuances. »*

Le parfum est toujours composé d'un accord leader, qui va permettre de le classer dans une famille : hespéridée, fleurie, boisée, cuir, chyprée, fougère, orientale. Les notes complémentaires qui l'habillent, comme des accessoires, vont déterminer les facettes, ces effets olfactifs permettant de le décrire : aromatique, marine, verte, aldéhydée, fruitée, épicée, poudrée, musquée...

PYRAMIDE OLFACTIVE

Comme en musique, les parfums s'écrivent dans le temps. Ils réalisent un parcours olfactif sur la peau, selon le degré d'intensité et de ténacité des matières premières qui les composent. Une évolution qui prend la forme d'une pyramide. **Les notes de tête** attirent l'attention. Ce sont elles que l'on sent en débouchant le flacon. Notes franches mais aussi fugaces (elles tiennent moins de deux heures), elles signent le départ, l'envolée de la fragrance. Elles sont issues de l'écorce des agrumes (orange, mandarine, bergamote,…) ou des aromates (lavande, thym, romarin,...). **Les notes de cœur** leur succèdent quelques secondes après : souvent florales (rose, néroli, muguet...) ou fruitées (pêche, framboise), elles ont une durée de persistance d'environ quatre heures. Elles développent le sillage du parfum et tempèrent les odeurs plus tenaces des notes de fond. **Les notes de fond**, enfin, « retiennent le souvenir », laissent une empreinte dans la mémoire. Les arbres et arbustes fournissent une grande partie de ces notes moins intenses mais très tenaces : baumes (du Pérou, de Tolu), fève tonka, encens, myrrhe, oliban... Mais aussi les notes gourmandes (chocolat, café), boisées (santal, patchouli, cèdre, vétiver) et les muscs blancs. Elles peuvent tenir jusqu'à 3 mois sur une « mouillette » isolée !

TÊTES D'AFFICHE

Parfois un parfum, construit sur un accord olfactif inédit pour son époque, devient le créateur d'une famille. Les parfumeurs l'utiliseront comme une structure de base qu'ils feront varier au gré de leur inspiration. Un peu comme des archétypes au cinéma qui, au fil du temps, sont endossés par des acteurs différents... Ainsi Fougère Royale d'Houbigant (1882), où la lavande se mêle à la mousse de chêne, au géranium et à la coumarine, a créé la famille des fougères ; l'Ambre Antique (1905) de Coty a initié la famille ambrée ou orientale (à laquelle appartient Shalimar de Guerlain, où les épices soutiennent le patchouli et la vanille) ; le Chypre de Coty (1917), où la bergamote taquine le jasmin sous l'œil de la mousse de chêne et du patchouli, a inventé, lui, la famille des parfums chyprés.

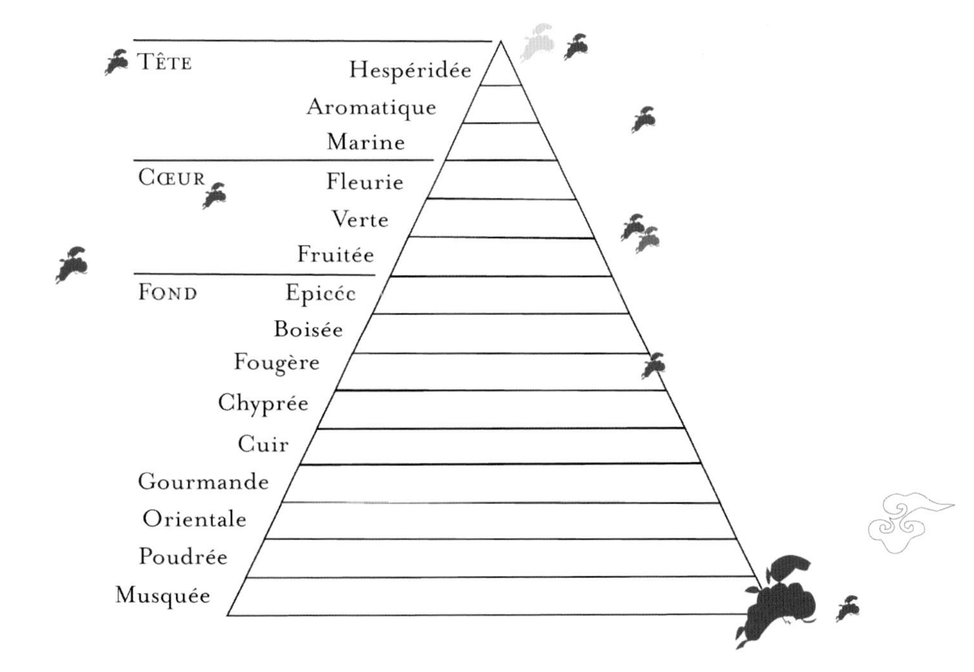

eaufolle

Eau Folle de Guy Laroche

L'Eau de l'Eau de Diptyque

Eau Impériale de Guerlain

famille

HESPÉRIDÉE

La famille la plus joyeuse de la parfumerie !

On s'inonde de ses notes fraîches, fusantes et fruitées obtenues à partir du zeste de tous les agrumes *(citrus)*. Des compositions parfaites pour l'été ou pour les voyages !

Les notes hespéridées sont exubérantes et volatiles. Dites de tête, elles signent l'envol d'un parfum et disparaissent aussi vite qu'elles sont venues. Quand leurs accords, toniques, dominent une composition, on dit de celle-ci qu'elle est hespéridée. Les eaux de Cologne et les eaux fraîches, ou eaux blanches, sont construites sur ce schéma olfactif : beaucoup de notes de tête, quelques-unes de cœur, et pas ou peu de notes de fond. 4711 de Müelhens (1792), l'Eau Extra-Vieille de Roger et Gallet (1806) et l'Eau Impériale de Guerlain (1853) sont les emblèmes de cette famille de parfums.

Les accords d'agrumes se marient volontiers aux notes aromatiques, la partie fraîche des plantes (lavande, basilic, romarin, mais aussi thym, badiane, eucalyptus ...), à ne pas confondre avec les épices. Ces matières premières apportent une note champêtre et une vivacité aux eaux blanches. La pétillante Eau d'Hadrien (1981), qui conjugue citron, cédrat, pamplemousse et cyprès, a été créée par Annick Goutal après la lecture des *Mémoires d'Hadrien* de Marguerite Yourcenar. L'Eau de l'Artisan de L'Artisan Parfumeur (1993), aux notes enlevées de citron, verveine, marjolaine, feuilles de menthe et basilic, évoque la campagne ensoleillée. Et aussi White Jamine & Mint de Jo Malone (2007).

Eau d'Hadrien d'Annick Goutal

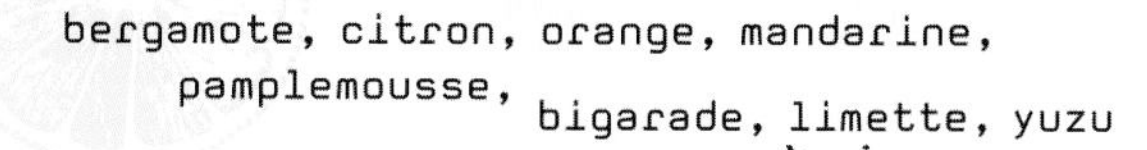

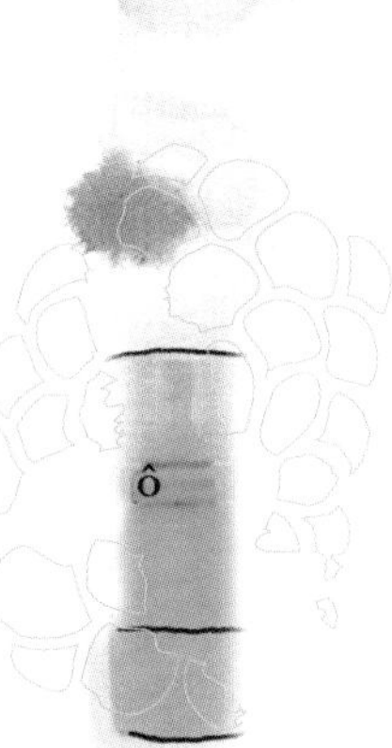

Ô de Lancôme

Eau de Rochas

White Jasmine & Mint
de Jo Malone

Ces compositions fraîches s'offrent parfois un cœur fleuri (par le narcisse, le jasmin ou le chèvrefeuille) et un fond boisé ou chypré : le sillage d'Eau Sauvage de Christian Dior (1966) joue les notes fleurs sauvages, lavande et jasmin, parsemé de zeste de citron et d'éclats d'estragon, de thym et de romarin avec la mousse de chêne, le musc et le vétiver. Ô de Lancôme (1969), au départ mandarine-citron, laisse son cœur hédione-chèvrefeuille s'alanguir sur du santal, du vétiver et de la mousse de chêne. Dans l'Eau de Rochas (1970), les notes fusantes de verveine et de citron vert rehaussent un cœur floral très narcisse, sur un fond mousse de chêne.

Les compositions hespéridées peuvent se faire plus charnelles en épousant les épices (girofle, poivre, muscade, cannelle). L'Eau de l'Eau de Diptyque (2008) revisite en transparence l'Eau de Diptyque créée en 1968. Une Cologne lumineuse, d'où fusent d'abord des notes fraîches (mandarine verte, pamplemousse...), sur un cœur fleuri (lavande, géranium, fleur d'oranger) épicé de notes chaleureuses (cannelle, gingembre, feuilles de girofle) et s'abandonne sur du patchouli et des notes poudrées et balsamiques (benjoin, fève tonka). Cologne Bigarade, créée en 2000 par Jean-Claude Ellena aux Editions de Parfums Frédéric Malle, surdose l'orange amère (60 %) en laissant poindre des accords d'épices, de roses et de foin.

Pour évoquer sa fraîcheur, l'« Eau » se décline dans tous les sens : Folle chez Guy Laroche, Cendrée chez Jacomo, de Voyage chez Morabito, Vive chez Carven, des Merveilles chez Hermès, Libre chez Yves Saint Laurent, Pure chez Caron, Belle chez Azzaro...

Eau Sauvage de Dior

Fidji
de Guy Laroche

Y d'Yves Saint Laurent

L'Eau Parfumée au Thé Vert
de Bulgari

galbanum, feuille de violette, narcisse,
jacinthe, persil, thé vert, rhubarbe,
lierre, houblon, bourgeon de cassis

First
de Van Cleef & Arpels

Vent Vert
de Balmain

facette
VERTE

C'est la campagne qui surgit autour de vous ! Herbe fraîchement coupée, feuilles froissées, gazon tondu, rosée du matin, fruits pas mûrs, les notes vertes (fruitées comme le bourgeon de cassis, irisées comme la feuille de violette, florales comme la jacinthe, hespéridées comme le petit grain ou aromatiques comme le lierre) apportent une fraîcheur piquante aux compositions florales (N°19 de Chanel, Rive Gauche d'Yves Saint Laurent, Anaïs Anaïs de Cacharel).

La matière première la plus caractéristique de cette facette est le galbanum, une plante herbacée dont la gomme-résine produit une note d'herbe coupée, terreuse et aqueuse, rappelant l'odeur des petits pois crus. Avec Vent Vert de Balmain (1945), un bouquet champêtre vivifiant construit autour du galbanum (la composition en contient 8 % !), Germaine Cellier voulait apporter de la fraîcheur aux citadines en mal de verdure. On retrouve cette note verte entourée de fleurs dans Fidji de Guy Laroche (1966, on la doit à une molécule de synthèse, la viridine) et dans Number One de Patricia de Nicolaï (1989).

L'absolu de feuille de violette possède une odeur très verte, presque terreuse, qui rappelle l'iris. Des fleurs comme la jacinthe, le muguet, le narcisse ou le lys produisent, elles aussi, des effets verts. Dans L'Eau du Ciel d'Annick Goutal (1985), la feuille de violette galvanise le tilleul et l'iris. Quant au bourgeon de cassis, il apporte une note espiègle à un bouquet floral, comme dans Chamade de Guerlain (1969), où il est utilisé pour la première fois en parfumerie, Amazone d'Hermès (1974), où il donne la réplique au galbanum, à la jonquille et au narcisse, et First (1976) de Van Cleef & Arpels, parmi les 160 matières premières qui composent la fragrance.

Et aussi : le départ vert et frais de l'herbe coupée et des feuilles froissées contraste avec un fond chaud et chypré comme dans Miss Dior de Christian Dior (1947) ou Y d'Yves Saint Laurent (1964). Chez Must de Cartier (1981), premier oriental vert, le galbanum se mêle à la vanille, au narcisse et à la coumarine. Avec l'Eau Parfumée au Thé Vert de Bulgari (1992), son créateur, Jean-Claude Ellena, a inventé l'accord thé vert.

Rive Gauche d'Yves Saint Laurent

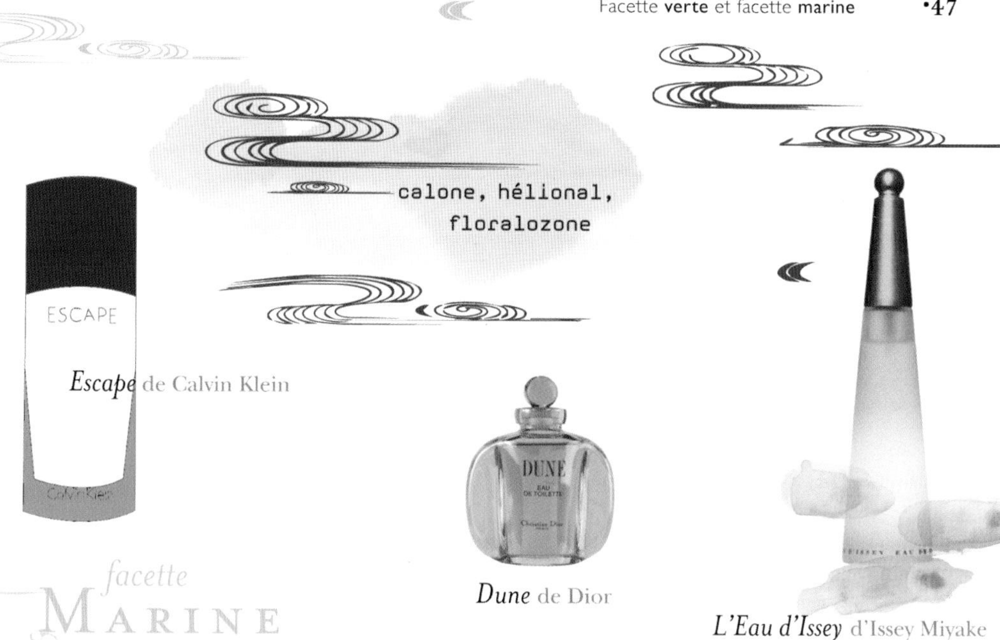

Escape de Calvin Klein

Dune de Dior

L'Eau d'Issey d'Issey Miyake

facette MARINE

Les notes marines sentent l'océan, l'iode, les algues, les embruns, les marées. Elles sont pourtant toutes synthétiques ! Le floralozone, la plus récente, évoque l'ozone et l'odeur du pressing, la calone rappelle l'huître et les algues (Aqua di Gio d'Armani), l'hélional (très présent dans Cristalle de Chanel) est plus aqueux. Ces molécules de synthèse accompagnent volontiers un bouquet floral classique, des notes fruitées ou aromatiques (thym, armoise) ou des accords boisés. Les parfums paysages qu'elles permettent de composer font surgir des images de vacances, de sable et de rivages bercés par le vent.

New West For Her d'Aramis (1990) reste le chef de file de cette facette. Escape de Calvin Klein (1991), où l'osmanthus fricote avec le jasmin, et L'Eau d'Issey d'Issey Miyake (1992) en sont les compositions emblématiques.
« Le meilleur parfum, c'est l'odeur de l'eau », aime à répéter le couturier japonais Issey Miyake. L'accord pivoine-lotus de L'Eau d'Issey, composition ozonique à la fois musquée et boisée, évoque *« l'odeur de l'eau sur la peau d'une femme »*. Jacques Cavallier, son créateur, inspiré par le flacon (minimaliste), aurait écrit la formule de la fragrance en 10 minutes !
Dune de Dior (1991), une fragrance verte (construite autour du lys, des ajoncs, de la pivoine) à la base chaude, presque orientale, a été conçue comme une *« délicate alchimie de fleurs mêlées à la chaleur de l'été et rafraîchies par la langoureuse brise océane »*, selon les vœux de Maurice Roger, le président de la marque à l'époque.

Et aussi : Kenzo pour Homme de Kenzo (1991),
Relaxing Fragrance de Shiseido (1997), Aquawoman de Rochas (2002).

C8 à C12

Liu de Guerlain

facette ALDÉHYDÉE

La facette aldéhydée est celle qui fait pétiller nos parfums !
Elle apporte comme des petites bulles de champagne aux compositions florales et suggère même des odeurs d'épices, de fruits ou d'ambre.

Les aldéhydes sont des notes de synthèse puissantes issues de la réduction des acides gras. Ils apportent un très grand pouvoir de diffusion aux compositions. Leur odeur un peu grasse, presque chlorée (rappelant à certains l'odeur du pressing, de fer chaud et à d'autres la bougie froide, le plastique chaud fondu), est utilisée pour exalter et révéler d'autres notes, surtout florales.
Associés aux agrumes, les aldéhydes signent souvent le départ des plus grands parfums floraux. C'est avec le N° 5 de Chanel (1921) qu'ils marquent véritablement leur entrée dans la parfumerie.

Dans les années 1920, Gabrielle Chanel souhaitait créer *« un parfum de femme, à odeur de femme, un parfum comme on n'en a jamais fait ».* Pour composer l'odeur de la fleur absente, celle que l'on ne trouve ni dans les bouquets ni dans les jardins, elle voulait des matières premières irréprochables (jasmin de Grasse, ylang-ylang des Comores, rose de Mai, iris Pallida, santal de Mysore et vétiver Bourbon).

White Linen d'Estée Lauder

Arpège de Lanvin

Elle fait appel au parfumeur Ernest Beaux, qui le premier, avec le N°5 — le nom même de la fragrance tranche avec ceux de l'époque —, ose la profusion d'aldéhydes pour accompagner ces fleurs nobles. On dit qu'il aurait surdosé ces molécules par hasard. Ernest Beaux pensait que la parfumerie avait tout à gagner à s'enrichir des substances nouvelles issues des progrès de la chimie. Car en élargissant la palette du parfumeur, elles lui donnaient plus de liberté pour explorer ses idées.

Cette innovation olfactive est devenue le chef de file d'une famille de parfums. Et, en 2006, le N°5 restait le parfum le plus vendu en France. L'image de Marilyn Monroe dormant nue avec quelques gouttes de la fragrance en guise de chemise de nuit demeure très forte dans l'imaginaire féminin.

Et aussi : N° 22 de Chanel (1922), Arpège **de Lanvin** (1927), Liu **de Guerlain** (1929), White Linen **d'Estée Lauder** (1965), **Infini de Caron** (1970), Vraie Blonde **d'Etat Libre d'Orange** (2006).

N°5 de Chanel

Vraie Blonde
d'Etat Libre d'Orange

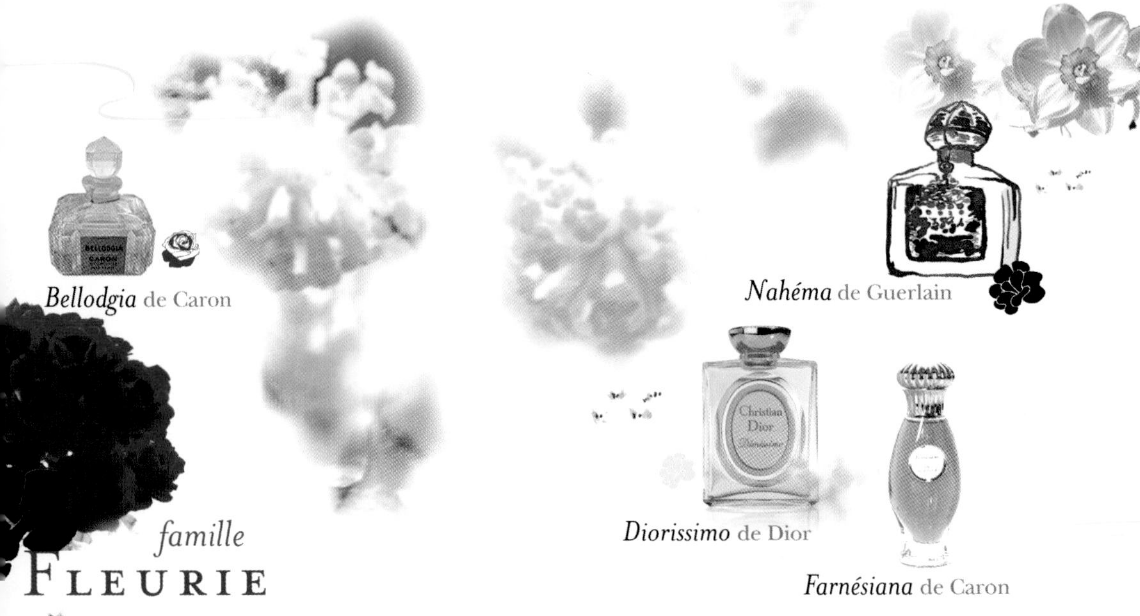

Bellodgia de Caron

Nahéma de Guerlain

Diorissimo de Dior

Farnésiana de Caron

famille FLEURIE

« Si l'on a des fleurs, nul besoin de Dieu », écrivait Fernando Pessoa. Avec elles s'ouvre la promesse d'une des familles de fragrances les plus riches de la parfumerie, autour d'un thème principal : une fleur suave (tubéreuse, rose, ylang-ylang, lys, jasmin mais aussi cassie, frangipanier...) ou fraîche (néroli, muguet, freesia...). Ou sous la forme de bouquet : les fleurs blanches suggérant le rêve entrent dans des compositions parfaites pour les jeunes filles, les romantiques ou les classiques, et les fleurs plus capiteuses signent le sillage des femmes fatales.

La plupart des fleurs parmi les plus odoriférantes de la nature ne livrent leur parfum ni par enfleurage (Grèce), ni par distillation (vapeur d'eau), ni par extraction (aux solvants volatils) : lys, violette, muguet, jacinthe, lilas, chèvrefeuille... L'odeur de ces fleurs « muettes », contrairement à la rose ou au jasmin, est donc recréée en recourant à d'autres matières premières, naturelles ou synthétiques. Une pratique qui ouvre la porte à de nombreuses stylisations de la fleur, en note majeure ou en bouquet.

Les fleuris se composent sur tous les modes, aldéhydé, vert, boisé, fruité, océanique, épicé... On parle de soliflore lorsqu'une seule note florale est recherchée : le muguet dans Diorissimo de Dior (1956), une composition de fleurs blanches, *« un contrepoint fleuri, de verdeur et de fraîcheur, évoquant la nature, le printemps, la jeunesse »* selon son créateur, Edmond Roudnitska ; la rose dans Nahéma de Guerlain (1979) et dans Rose Muskissime de Maître Parfumeur et Gantier (1982), tous deux très fruités ; l'œillet dans Bellodgia de Caron (1927), boisé par le santal et très poudré ; le mimosa dans Mimosa pour Moi de L'Artisan Parfumeur (1992), au départ vert de feuilles

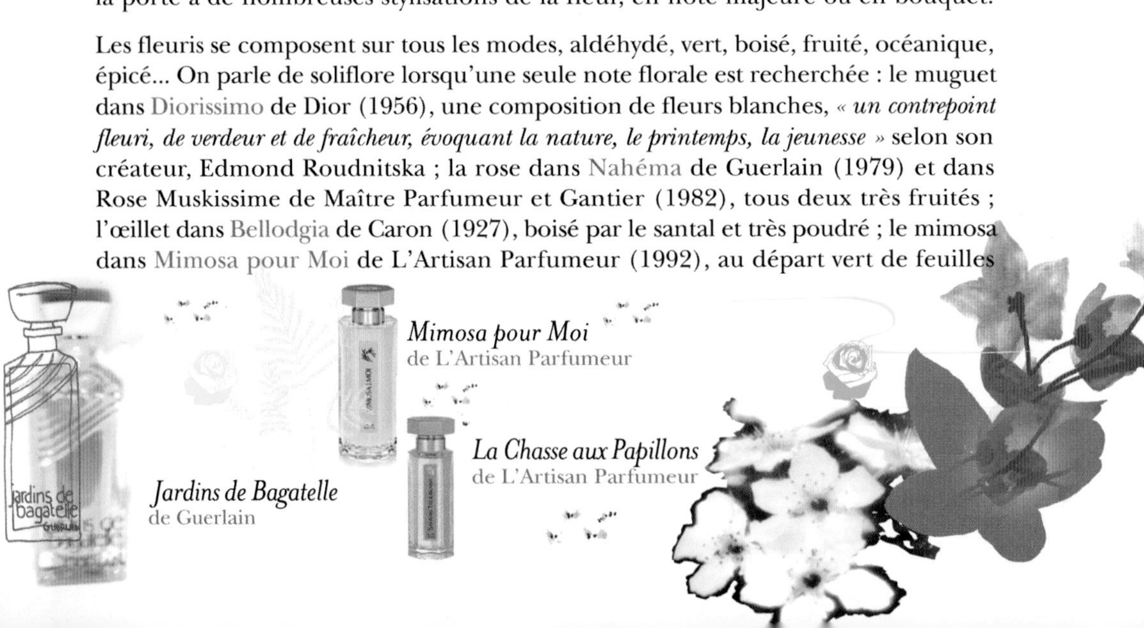

Mimosa pour Moi
de L'Artisan Parfumeur

La Chasse aux Papillons
de L'Artisan Parfumeur

Jardins de Bagatelle
de Guerlain

rose, jasmin, muguet,
fleur d'oranger, cassie, ylang-ylang,
tubéreuse

L'Air du Temps de Nina Ricci

Carnal Flower
de Dominique Ropion
aux Editions de Parfums Frédéric Malle

Chamade de Guerlain

Le Dix
de Balenciaga

A la Nuit
de Serge Lutens

de violettes parsemées de bourgeons de cassis, et dans Farnésiana de Caron (1947) ; la tubéreuse dans le capiteux Fracas de Robert Piguet (1948), épicée par l'œillet et lactée par le santal, et dans le solaire Carnal Flower de Dominique Ropion aux Editions de Parfums Frédéric Malle (2000) ; le jasmin dans A la Nuit de Serge Lutens (2000) — pour l'évoquer se sont conjugués les jasmins d'Egypte, des Indes et du Maroc entourés de miel blanc, de benjoin et de musc.

Dans les parfums masculins, la note lavande, à la fois florale et aromatique, est très utilisée pour apporter de la fraîcheur. En 1934, le parfumeur Michel Morsetti et Ernest Daltroff, le fondateur de Caron, imaginent Pour un Homme, un *« parfum de jeunesse et de beauté »* pour les hommes : sa lavande rebelle, d'abord rafraîchissante puis chaude et sensuelle, entraîne avec elle l'ambre, la vanille et la fève tonka à l'odeur de dragée.

Les bouquets floraux, compositions plus complexes, convoquent de nombreuses matières premières comme la rose, le muguet, le jasmin, le néroli (fleur d'oranger), l'ylang-ylang.... Dans N°19 de Chanel (1970), des notes vertes et fleuries (galbanum, jacinthe) signent le départ d'un cœur rose, jasmin, muguet et iris. La rose de Bulgarie et le jasmin de Grasse sont composés en majesté dans Joy de Patou (1930). Ils s'associent aux notes aériennes de l'iris et de la violette dans Le Dix de Balenciaga (1947). L'Air du Temps de Nina Ricci (1948) est un bouquet épicé autour de la rose, de l'œillet et de l'iris. Dans Calèche d'Hermès (1961), les bois et la mousse de chêne s'égaient autour de fleurs et d'aldéhydes. Tandis que l'essence de rose turque, la jacinthe, l'ylang-ylang et le jasmin jouent de concert dans Chamade de Guerlain (1969) ou que tubéreuse, gardénia, jasmin et fleur d'oranger donnent toute leur lumière aux Jardins de Bagatelle de Guerlain (1983). La Chasse aux Papillons de L'Artisan Parfumeur (1999) est aérien, presque une Cologne, au cœur de fleurs blanches (tilleul, tubéreuse, fleur d'oranger) rafraîchi de mandarine, de bergamote et de fleur de citronnier.

Fracas
de Robert Piguet

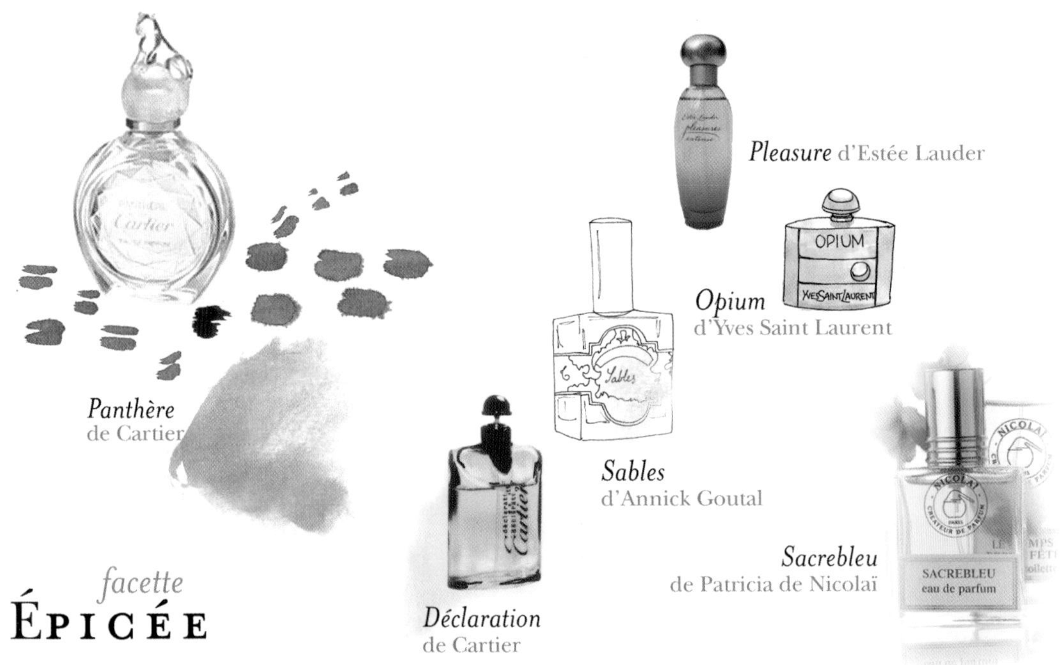

Pleasure d'Estée Lauder

Opium d'Yves Saint Laurent

Panthère de Cartier

Sables d'Annick Goutal

Sacrebleu de Patricia de Nicolaï

Déclaration de Cartier

facette ÉPICÉE

Le parfum, parfois, c'est un peu comme la cuisine !

Les épices n'ont pas leurs pareilles pour apporter de la personnalité à des compositions parfumées. Les notes de cette facette, froides (poivre, cardamome, muscade, baie rose, coriandre) ou chaudes (cannelle, girofle, piment), rendent piquants ou troublants des accords hespéridés. L'Eau d'Hermès (1951), premier parfum de la marque, créé par Edmond Roudnitska, plein d'agrumes et d'aromates (bergamote, lavande, sauge sclarée), très épicé (coriandre, cardamome, girofle, cannelle), est construit autour d'un accord jasmin-géranium sur un fond cuir et balsamique. Les épices troublent aussi les cœurs fleuris (Pleasure d'Estée Lauder, 1995, une note muguet-herbe coupée avec un départ poivre-baie rose) ou s'invitent dans des compositions gourmandes voire orientales (le voluptueux Panthère de Cartier, 1987).

Cette facette, rarement dominante dans les compositions, ne s'interdit rien dans un trio de choc que signe L'Artisan Parfumeur en 2002 : dans Safran Troublant, safran, gingembre et muscade s'allient à la rose, la vanille et le bois de santal ; Poivre Piquant joue les poivres noir et blanc avec les baies roses, mêlés au lait, au miel et au bois de réglisse. Tandis que dans Piment Brûlant, piments vert et rouge explosent, entourés de girofle, sur fond de cacao, de vanille et de fève tonka.

L'essence de poivre donne tout son piquant à une composition masculine. Pour créer Sables (1985) — le poivre d'Indonésie y épice des fleurs sauvages sur fond de santal, d'ambre et de vanille — Annick Goutal s'est inspirée de ses séjours en Corse et à l'île de Ré, où l'odeur des immortelles fouettées par le vent embaume les dunes.

Noir Epices
de Michel Roudnistka
aux Editions de Parfums Frédéric Malle

Safran Troublant
de L'Artisan Parfumeur

Le poivre se cultive aussi en majesté dans Poivre de Caron (1959), au cœur épicé de girofle et d'œillet qui se prolonge sur des accords boisés, et dans Poivre Samarcande d'Hermès (2004), où l'épice brûlante s'attendrit de bois suave.

Distillée, l'écorce du cannellier de Chine ou de Ceylan, un arbuste toujours vert, donne l'essence de cannelle, à odeur chaude et épicée. L'oriental boisé Noir Epices de Michel Roudnistka aux Editions de Parfums Frédéric Malle (2000) conjugue la noix de muscade, la cannelle, le girofle et le poivre ; l'ambré Sacrebleu de Patricia de Nicolaï (1993) s'offre un cœur fleuri par la tubéreuse, le jasmin, et épicé par la cannelle et l'œillet. Opium d'Yves Saint Laurent (1977) joue lui aussi la cannelle et le girofle autour d'un cœur œillet, rose, jasmin sur des accords de résines et de bois et des notes animales !

L'huile essentielle de coriandre possède une note fraîche et poivrée (comme le duo qu'elle signe avec le poivre rose dans Héritage de Guerlain, 1992) ; l'essence de cumin apporte une tonalité herbacée et anisée aux accords chyprés (Femme de Rochas, 1944) et boisés (Vetyver de Patricia de Nicolaï, 2004), tandis que celle de cardamome, légèrement fruitée et très aromatique, fournit beaucoup de montant à des compositions comme Déclaration de Cartier ou Pour Monsieur de Chanel.

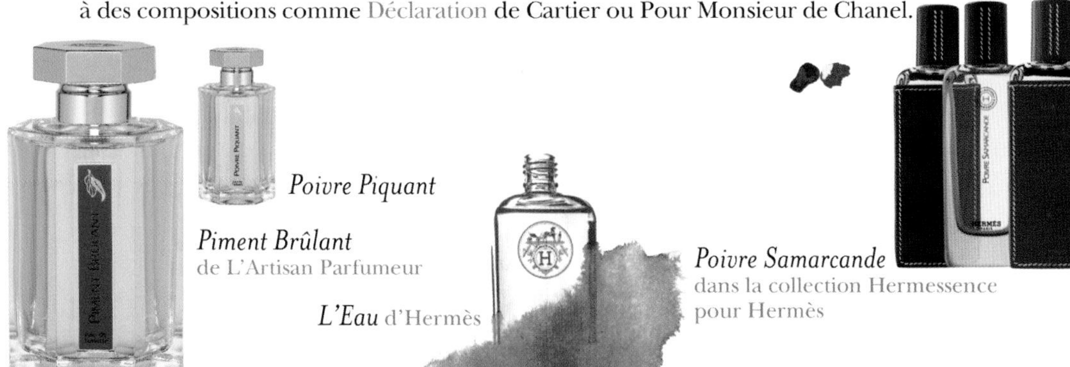

Poivre Piquant

Piment Brûlant
de L'Artisan Parfumeur

L'Eau d'Hermès

Poivre Samarcande
dans la collection Hermessence
pour Hermès

Bois des Iles de Chanel

Premier Figuier
de L'Artisan Parfumeur

Dans tes Bras
de Maurice Roucel
aux Editions de Parfums Frédéric Malle

famille BOISÉE

Les accords boisés sont de toutes les compositions masculines et équilibrent les fragrances en leur apportant une note rassurante et confortable. L'accord figuier, devenu classique, est apparu avec Premier Figuier de L'Artisan Parfumeur (une composition signée Olivia Giacobetti en 1994).

La note chaude et crémeuse, poudrée et lactée, presque gourmande, du santal donne du velouté aux compositions. Santal de Mysore de Serge Lutens pour les Salons du Palais-Royal - Shiseido (1997) est réchauffé par des épices (cumin) et des fleurs (rose), et adouci par des baumes — le copahu praliné, le styrax résineux et le benjoin de Siam caramélisé. Avec le cèdre, le santal s'habille d'épices et de vanille, comme dans Opium pour Homme d'Yves Saint Laurent (1995). Dans Bois des Iles de Chanel (1926) et Samsara de Guerlain (1989), santal et vétiver épousent les notes chaudes de la fève tonka et de la vanille.

Le cèdre rappelle la mine de crayon, la scierie, les copeaux de bois. Il se marie à merveille avec le vétiver et les agrumes (dans Eau des Merveilles d'Hermès, 2004), le patchouli, le santal et les fleurs (dans Magie Noire de Lancôme, 1978). Et avec les fruits, comme dans Féminité du Bois de Shiseido (1992): célébrant la note cèdre de l'Atlas qui évoque le Maroc, Serge Lutens a conçu une composition épicée par la cannelle et le clou de girofle et irisée de mauves violettes. Un parfum dont les accords inspireront Dolce Vita de Dior (1995). Et à partir duquel Serge Lutens concevra sa collection des Eaux Boisées pour les Salons du Palais-Royal - Shiseido : parmi elles, Bois de Violette, dominé par la feuille et la fleur de violette, qui s'entourent de miel, d'épices, de musc et de fleur d'oranger, et Bois et Fruits, où le cèdre et la rose turque, bercés par la cannelle et la cire d'abeille, s'adonnent à une variation autour de la prune, la pêche, l'abricot et la quetsche.

Le patchouli est une promesse de sensualité à lui tout seul ! Les feuilles séchées du buisson produisent une note terreuse, camphrée, presque médicinale. C'est l'un

Magie Noire de Lancôme

cèdre, santal,
vétiver, patchouli, bois de gaïac,
bois d'Oud

Féminité du Bois de Shiseido

des composants de l'accord oriental (Shalimar de Guerlain) et de l'accord chypre : il joue un duo envoûtant avec la rose dans Aromatic Elixir de Clinique.

Guerlain est l'un des premiers à avoir rendu hommage au vétiver, dont la racine produit une note terreuse, humide et fumée. Son Vétiver (1959) marie ce bois aux agrumes et aux épices, sur un accord tabac. Le Vétiver Oriental de Serge Lutens pour les Salons du Palais-Royal - Shiseido (2002) est construit sur la note chocolat amer du vétiver de Java. Vétiver Extraordinaire de Dominique Ropion aux Editions de Parfums Frédéric Malle (2000) en contient plus de 25 %, associé à d'autres notes boisées ! Le vétiver côtoie avec élégance la fève tonka, à l'odeur de foin coupé (Vétiver Tonka dans la collection Hermessence pour Hermès, 2004), et aime s'entourer de cèdre, d'agrumes (orange et pamplemousse), d'épices (poivre) et de notes balsamiques (benjoin) comme dans Terre d'Hermès (2006).

Jadis recueilli sur les barbes des chèvres marocaines, le ciste-labdanum produit une note ambrée lorsqu'il est associé à la vanille. Ajoutez-y encore du patchouli et des baumes, et vous aurez un accord oriental (comme dans Maharani de Patricia de Nicolaï). Mariez-le avec de la mousse de chêne, et vous obtiendrez un chypre (Diva d'Ungaro). Au bouleau, la note cuir (Cuir de Russie de Chanel).

Et bien d'autres matières premières dans cette famille... Naturelles : le bois d'Oud, une essence à l'odeur chaude (M7 d'Yves Saint Laurent, 2002) et le bois de gaïac (Eau d'Issey Intense d'Issey Miyake). Ou synthétiques : l'évernyl, qui se substitue aux mousses de chêne dans les compositions chyprées modernes (utilisé dans Calandre de Paco Rabanne pour la première fois, en 1969), l'iso E Super, aux notes violettes et ambre gris (Fahrenheit de Dior, 1988), ou le cashmeran, aux accents balsamiques (Dans tes Bras, signé Maurice Roucel aux Editions de Parfums Frédéric Malle, 2008).

Dolce Vita de Dior

Vétiver Tonka
dans la collection Hermessence pour Hermès

bouleau, ciste-labdanum, styrax, cade,
absinthe,
civette, musc,
castoréum, ambre gris

Cuir de Russie de Chanel

famille CUIR

C'est l'odeur fauve par excellence. L'accord cuir serait né au 19e siècle lorsque les soldats de l'armée russe ciraient leurs bottes avec un goudron provenant du bois de bouleau. Guerlain (fin du 19e siècle), Chanel (1928) et LT Piver (1939), chacun avec leur Cuir de Russie, en furent les premiers interprètes. Les notes fumées, sèches, presque âcres de cette facette évoquent le cuir, la sueur, le bois brûlé mais aussi le tabac, le rhum, l'absinthe, le café...

Les effets cuir sont obtenus par l'utilisation de matières premières végétales, comme les essences de bouleau rectifiée, de styrax et d'encens pyrogènes, de cade, ou de matières premières synthétiques — par exemple l'isobutylquinoléine dont Tabac Blond (1919), premier parfum d'après-guerre de Caron, fait une utilisation chaude et sensuelle. Son accord puissant, à la fois fleuri, boisé et épicé, ne contient pas une seule feuille de tabac — mais de l'œillet, du tilleul, de l'iris, de l'ylang-ylang, de l'ambre, du musc, de la vanille, de l'opopanax.... Son accord mousse de Saxe (à la fois cuir et poudré, aux accents d'orange et de violette) se retrouve dans une autre composition de la marque, Nuit de Noël (1924), un oriental fleuri par la rose et l'ylang-ylang.

Tabac Blond
de Caron

Dzing!
de L'Artisan Parfumeur

Cuir Mauresque
de Serge Lutens
pour les Salons du Palais-Royal - Shiseido

Cuir Beluga
de Guerlain

notes ANIMALES

Longtemps des matières premières animales, qui ne sont aujourd'hui que faiblement exploitées (soit en raison d'un coût trop élevé, soit pour protéger les espèces), ont été utilisées afin d'apporter du volume aux compositions.
Le musc, sécrétion odorante provenant d'une glande abdominale d'un ruminant d'Asie centrale (le chevrotain porte-musc), produit une note sensuelle qui donne de l'ampleur aux parfums. La plupart des parfumeurs actuels le remplacent par des muscs de synthèse, beaucoup moins coûteux, même si ces derniers ne possèdent pas sa note animale.
L'ambre gris est une concrétion odorante du cachalot expulsée spontanément par l'animal dans l'océan. Ce remarquable fixateur des compositions parfumées possède une note animale suave, aux accents de rivages marins et de thé. Son prix (plus de 50 000 euros le kilo !) le réserve aux compositions classiques comme Calèche d'Hermès (1961).
Le castoréum, substance odorante huileuse secrétée par des glandes internes du castor, apporte une note chaude aux compositions orientales ou chyprées. Dans Bel Ami d'Hermès (1986) — un chypre fleuri par l'œillet et l'iris et aromatique par la sauge et le basilic —, il danse avec la vanille, le patchouli, le vétiver et le styrax.
La civette sécrète une pâte molle, dont l'odeur très forte se mêle à d'autres produits pour apporter rayonnement et sensualité à une composition. Dans Cuir Mauresque de Serge Lutens pour les Salons du Palais-Royal - Shiseido (1996), un cuir aux notes sèches et animales, l'encens, la civette, l'ambre et le musc se conjuguent à des épices chaleureuses (cannelle, girofle, cumin, poivre) et à des notes fraîches et florales (mandarine, néroli, jasmin), des bois d'aloès et du cèdre.
Notons que certaines matières premières végétales peuvent produire des notes animales : ainsi l'essence de costus, extraite de la racine d'une plante, *« sent la chèvre »*, selon le parfumeur Jean Guichard ! Dans Dzing ! de L'Artisan Parfumeur (1999), costus et castoréum, mariés aux muscs et au benjoin, apportent leurs notes cuirées, à une composition festive et gourmande qui rend hommage au monde du cirque.

Et aussi : Bandit de Robert Piguet (1944), un chypre dans lequel jasmin, cuir et absinthe évoquent le Paris libéré. Duel d'Annick Goutal (2003), un parfum mixte construit autour du maté, travaillé ici dans ses accents les plus cuirés. Cuir Beluga de Guerlain (2005), *« un cuir velouté, presque daim blanc, très poudré et vanillé »* **selon les mots de Sylvaine Delacourte qui a travaillé sur ce parfum au côté d'Olivier Polge.**

J'Adore de Dior

Angel de Thierry Mugler

Femme de Rochas

facette GOURMANDE ET FRUITÉE

Des odeurs attachées à la mémoire de l'enfance, qui suscitent l'addiction au premier coup de nez ! Caramel, vanille, pommes au four, chocolat, fruits... Une gamme de notes que l'on doit à l'arrivée en parfumerie de molécules de synthèse comme l'éthyl maltol (même si on peut considérer que les orientaux ont été les premiers gourmands), présent dans Angel de Thierry Mugler, un doudou aux accords patchouli-barbe à papa qui a lancé le mouvement en 1992 (dans le même esprit, l'accord réglisse-violette de Lolita Lempicka, 1997). La réglisse, qui possède une note anis et cumin, inspire Caron et Hermès (l'Eau de Réglisse, 2005, et Brin de Réglisse, 2007). Et dans Iris Ganache de Guerlain (2007), les notes florales, poudrées et gourmandes se conjuguent avec élégance.

Très peu de fruits sont disponibles comme matières premières à l'état naturel. Certaines molécules de synthèse ou bien des reproductions (des bases, ces petits accords olfactifs qui « reproduisent » une odeur, comme la framboise) apportent des notes fruitées à des compositions chyprées comme Mitsouko de Guerlain (la gamma-undécalactone, à l'odeur de pêche) ou Femme de Rochas — *« un parfum très fruité, avec une double caractéristique boisée et confite »*, selon les mots de son créateur, Edmond Roudnitska. Dans les années 1990, des notes nouvelles issues des découvertes des chimistes viennent enrichir la facette fruitée. Melon, litchi, poire, pomme s'invitent dans les compositions... Abricot et pêche accompagnent la rose blanche dans Trésor (1990), une composition poudrée que la parfumeur Sophia Grosjman s'était créé pour elle-même et qu'elle présenta ensuite à la marque Lancôme.

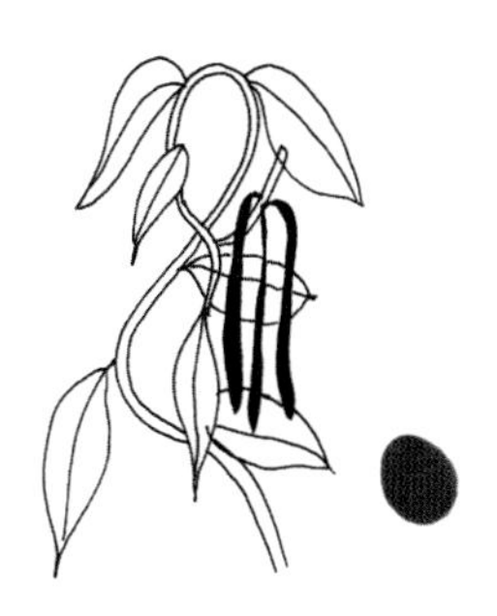

vanille, chocolat, caramel, café, noisette, abricot, osmanthus, réglisse, cassis, mangue, ananas

Et des molécules de synthèse comme les lactones, aux odeurs de pêche, de fraise, de noix de coco, de framboise...

Iris Ganache
de Guerlain

La framboise et le cassis vampent l'iris, la violette et la vanille dans Insolence de Guerlain (2005) et taquinent la bergamote, les mûres et les muscs dans Fraîcheur Muskissime de Maître Parfumeur et Gantier (1988). La mangue éclate dans Folavril (1980) — le premier parfum composé par Annick Goutal pour parfumer les crèmes de soin qu'elle confectionnait à ses débuts — et dans Jardin sur le Nil d'Hermès (2005), autour du lotus, de l'encens et du bois de sycomore. Pomme, orange, caramel dansent une farandole gourmande dans Nina de Nina Ricci (2006). La noix de coco et l'abricot signent le départ de Juste un Rêve (1996) de Patricia de Nicolaï. Les fruits exotiques s'entourent de notes vertes dans J'Adore de Dior (1999). Les accords fruités, presque confits, aiment se mêler aux bois odorants comme dans Féminité du Bois (1992), créé par Serge Lutens pour Shiseido.

Trésor de Lancôme

Lolita Lempicka
de Lolita Lempicka

Ombre Rose
de Jean-Charles Brosseau

L'Heure Bleue
de Guerlain

facette Poudrée

C'est la facette olfactive qui nous rappelle l'odeur du talc et de la poudre de riz ! En 1905, l'année où Coty sort l'Origan, une composition fondée sur un accord iris-violette-œillet-fleur d'oranger (qui inspirera L'Heure Bleue de Guerlain), le parfumeur lance également sur le marché anglo-saxon des poudres pour le visage parfumées à cet accord fleuri, subtil et délicat. Le terme « poudré » pour désigner les accords tenaces des parfums de peau vient de là.

L'iris incarne magistralement cette facette. Pas plus de trois espèces d'iris (iris Pallida, iris Florentina, Iris Germanica) parmi les trois cents dénombrées sont utilisées en parfumerie. Ce ne sont pas les fleurs qui sont convoitées mais le rhizome de la plante. Après avoir été broyées, séchées (pendant trois ans !) et distillées, les racines produisent une odeur florale et boisée, chaude et tenace, à l'effet violette, qui rappelle les poudres de beauté. La matière noble de la parfumerie — et la plus coûteuse ! Parmi les plus beaux hommages qui ont été rendus à l'iris : Iris Silver Mist de Serge Lutens (1994), où il s'associe à l'encens, aux bois (cèdre, santal), au benjoin et aux muscs. Iris Poudre, de Pierre Bourdon aux Editions Frédéric Malle (2000), où il domine entouré de fleurs, de vanille, de santal et de vétiver. Et Dior Homme (2007), le premier masculin à exploiter la facette irisée.

Deux molécules de synthèse — l'héliotropine, tirée de l'héliotrope, aux effets mimosa, et la méthylionone, irisée et boisée — apportent également un côté poudré à de nombreuses compositions. Grâce à elles, Guerlain et Caron (Tabac Blond, Bellodgia) ont donné les plus beaux parfums de cette facette.

Bois Farine
de L'Artisan Parfumeur

L'Origan
de Coty

iris, vanille, benjoin, fève tonka, mimosa, héliotrope

Dior Homme de Dior

Dans Après l'Ondée (1906), l'aldéhyde anisique, à l'odeur de fleur d'aubépine, appelle la violette embaumante et l'œillet, puis l'iris et la vanille pour évoquer des sous-bois mouillés. Créée par Jacques Guerlain en 1912, L'Heure Bleue suggère *« l'heure suspendue »* entre chien et loup, celle où les animaux de jour viennent de s'endormir et où ceux de la nuit ne se sont pas encore éveillés. Cette fragrance pour une *« femme de bon ton »* s'offre un cœur très fleuri (tubéreuse, violette, rose de Bulgarie, néroli, œillet et héliotrope) et épicé (cannelle, cumin), que poudrent l'iris, le benjoin et la fève tonka.

Les variations autour de la rose ont produit de grands jus orientaux et poudrés. Dans Ombre Rose de Jean-Charles Brosseau (1980), muguet, rose et iris semblent tombés dans un poudrier (musc blanc, santal, héliotrope). Dans Heure Exquise d'Annick Goutal (1984), l'iris de Florence épouse la rose de Turquie, sur un lit de santal de Mysore et un soupçon de vanille. Le Classique de Jean Paul Gaultier (1993) marie l'anis à la rose, l'iris et la fleur d'oranger, l'orchidée à l'ylang-ylang, sur fond de santal, d'ambre et de vanille. Drôle de Rose de L'Artisan Parfumeur (1996), toute piquée de violette, est rendue gourmande par le néroli et poudrée par l'iris.

Entouré de bois et de muscs blancs, l'iris équilibre les compositions parfumées. Bois Farine de l'Artisan Parfumeur (2003) est né de la rencontre à La Réunion du parfumeur Jean Claude Ellena avec le bois de senteur blanc, dont la fleur (rouge !) sent la farine. Et quand les compositions convoquent les baumes, les résines et la vanille, l'Orient n'est pas loin, comme dans Or des Indes de Maître Parfumeur et Gantier (1979).

Après l'Ondée de Guerlain

Poudré de Jovoy

Flower de Kenzo

facette
MUSQUÉE

Cette facette désigne un ensemble de molécules odorantes à l'odeur douce et ronde, aux accents chauds et tenaces, qui ont longtemps parfumé les lessives ! Les muscs blancs, ces matières premières de synthèse qui évoquent le linge propre, la peau de bébé, la bougie froide, voire les fruits rouges, lient les notes entre elles et apportent confort et consensus à de nombreuses compositions.

Aucune des matières premières dites musquées (galaxolide, habanolide, fixolide, ambrettolide...) ne rappelle la note sensuelle du musc animal (ou musc en grain), sécrétion odorante du chevrotain-porte-musc, un petit ruminant d'Asie centrale. Elles doivent leur nom à la muscone, une molécule qui, isolée du musc en grain, sent le propre !

Avec les fruits, les muscs composent un ballet inédit, comme dans Mûre et Musc de L'Artisan Parfumeur (1978), une eau fraîche sucrée par des notes fruits rouges. Fraîcheur Muskissime, de Maître Parfumeur et Gantier, a comme un air de famille !

Fraîcheur Muskissime
de Maître Parfumeur et Gantier

galaxolide, habanolide, fixolide

Jouant les fleurs, la vanille et le santal, les muscs blancs inaugurent une lignée de parfums, instaurée par Flower de Kenzo (2000). Le coquelicot, que la fragrance a pour emblème (une fleur qui ne sent rien !), a inspiré à Alberto Morillas, son créateur, un jus singulier, fleuri par la rose bulgare, la fleur de cassie et la violette de Parme, poudré par l'héliotrope, la vanille et l'opoponax.

Et aussi : White Musc de Body Shop, le premier jus à avoir surdosé les muscs de synthèse dans une composition parfumée. Odalisque de Patricia de Nicolaï (1989), un chypre vert au cœur fleuri et boisé et au fond très musqué. Musc Ravageur, signé Maurice Roucel aux Editions de Parfums Frédéric Malle (2000), un oriental explosif dans lequel cannelle, vanille, musc et ambre se conjuguent pour sublimer la peau. Tam Dao de Diptyque (2003), où les santals d'Indochine s'adoucissent de muscs blancs et de vanille.

Mûre et Musc
de L'Artisan Parfumeur

Musc Ravageur de Maurice Roucel
aux Editions de Parfums Frédéric Malle

Jicky de Guerlain

Drakkar Noir de Guy Laroche

YSL pour Homme d'Yves Saint Laurent

Azzaro pour Homme d'Azzaro

famille Fougère

La famille fougère n'a rien à voir avec l'odeur de la plante du même nom ! Elle doit cette appellation à une composition créée par Houbigant en 1882, Fougère Royale, qui mettait en scène des odeurs de lavande, de bois et de feuilles. Guy de Maupassant écrivait qu'il était une *« prodigieuse évocation des forêts, des landes, non de leur flore mais de leur verdure »*. Des notes discrètes qui ont nourri des générations d'après-rasage et de compositions masculines.

L'accord fougère s'ouvre sur un trio lavande-bergamote-géranium, s'alanguit sur des notes boisées de vétiver, de patchouli et de mousse de chêne, pour se poudrer de coumarine en finale. Les mousses de chêne, elles, ne sont pas celles qu'on utilise pour faire la crèche en Provence ! Ces absolus, qui entrent également dans la composition des accords verts, rappellent l'odeur de l'humus et du champignon.

Fougère Royale est le premier parfum intégrant un produit de synthèse, la coumarine, découverte en 1868. Cette note de foin coupée, principe odorant de la fève tonka, fait partie des nouvelles molécules que les progrès de la chimie organique permettent de fournir à l'époque. Ces produits très puissants devront attendre 1889 pour s'imposer, avec Jicky de Guerlain, le tout premier « parfum moderne » (le premier à contenir de la vanilline, de la coumarine et du linalol, à la note lavande).

Autour d'une note fleurie (œillet, jasmin), l'accord fougère de Canoë de Dana (1935) s'offre un départ aromatique, puis s'épice de poivre et de girofle sur un fond vanillé. Il donne toute sa puissance à un ensemble hespéridé et aromatique : dans YSL pour Homme d'Yves Saint Laurent (1971), citron vert et muscade rafraîchissent une lavande baignée de thym et de romarin ; Azzaro pour Homme (1978) joue la lavande avec le citron, la bergamote et le basilic ; Drakkar Noir de Guy Laroche (1982) la marie au dihydromyrcénol, une note de synthèse puissante, sur fond de notes boisées.

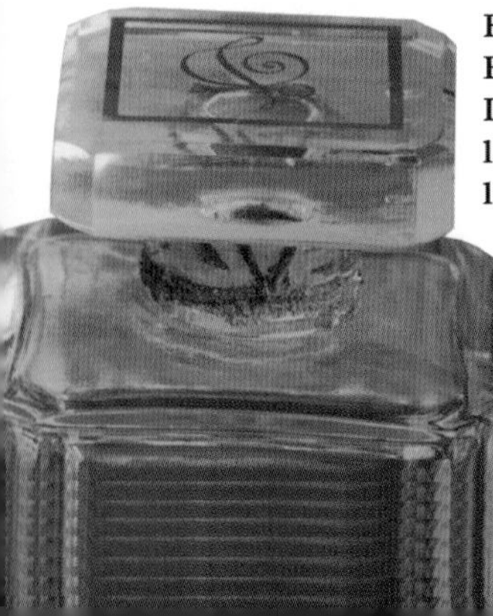

Et aussi : Equipage d'Hermès (1970), épicé. Egoïste Platinum de Chanel (1993), aromatique. Le Mâle de Jean Paul Gaultier, très oriental, leader des ventes en Europe depuis son lancement, en 1995.

Egoïste Platinum de Chanel

Fougère Royale d'Houbigant

Aromatic Elixir de Clinique

Mitsouko de Guerlain

Chypre de Coty

famille Chyprée

Le nom de cette famille provient du Chypre, le parfum que François Coty a ainsi nommé à sa sortie en 1917. Le succès de cette fragrance en a fait le chef de file de parfums fondés principalement sur des accords de bergamote, d'un cœur floral (rose, jasmin) ou fruité, structuré par de la mousse de chêne et des bois — ciste, labdanum et patchouli. Rien à voir avec l'île, donc (même si elle était surnommée par les Grecs *« la terre qui sent bon »*). Plutôt avec des univers complexes rappelant les sous-bois en automne, empreints de mystère et de panache !

Les chypres peuvent être abondamment fleuris : Aromatic Elixir de Clinique (1971) est un jus soyeux et floral, très patchouli aux pétales veloutés de rose ; Mon Parfum de Paloma Picasso (1984) est, lui, très rose et très animal. Ils s'épaulent élégamment d'accords fruités : Mitsouko de Guerlain (1919) un accord pêche-mousse de chêne simple et raffiné, *« un fantasme de parfumeur »* selon les mots de Sylvaine Delacourte, directrice de création de Guerlain. Femme de Rochas (et son accord prunol, 1944), Diorella de Dior (1972) et Cristalle de Chanel (1993) sont parmi les plus beaux chypres fruités.

Ces compositions très boisées ne manquent pas une occasion de s'offrir des notes vertes comme dans Miss Dior de Christian Dior (1947) ; à l'image du New Look, ce chypre dans lequel galbanum et gardénia rafraîchissent les notes chaudes de mousse de chêne, de patchouli et de ciste-labdanum contraste avec les parfums poudrés de l'époque.

Et aussi : Bandit (1944) de Piguet, très cuir. Calèche d'Hermès (1961), floral et boisé. Chant d'Arômes (1962), fleuri et aldéhydé, et Parure (1975), plus fruité, de Guerlain. Diva d'Ungaro (1977), un accord rose turque-patchouli. Kouros d'Yves Saint Laurent (1981), très aromatique.

Miss Dior de Christian Dior

Diva d'Ungaro

Habanita
de Molinard

Coco
de Chanel

Opium d'Yves Saint Laurent

famille ORIENTALE

Les orientaux (ou ambrés) sont de véritables invitations aux voyages. Ces « parfums à fourrure », aux notes dominantes douces et entêtantes, rappellent par association les senteurs d'Orient et exotiques : de la vanille, des épices (cannelle, coriandre, cumin), du patchouli, des résines et des baumes — ciste-labdanum (une note chaude légèrement médicamenteuse), benjoin, opopanax, encens, myrrhe, baume du Tolu et du Pérou... Des compositions aux rares notes de tête, au cœur bien présent et qui possèdent beaucoup de notes de fond, laissant un sillage capiteux.

L'accord ambré doit son nom au parfum de François Coty lancé en 1905, L'Ambre Antique. Mais le prototype de cette famille reste Shalimar de Guerlain (1925), un Jicky très bergamote, dont la note orientale, chaude et capiteuse (vanille, patchouli, fève tonka), a été poussée à l'extrême, devenant presque animale. C'est la première fois qu'est utilisée en parfumerie l'éthylvanilline, une molécule de synthèse à l'odeur de vanille très puissante et crémeuse. Créé l'année de l'Exposition internationale des arts décoratifs, cet oriental doux marie le jasmin et la rose de Mai sur un fond poudré par l'iris, le benjoin et l'encens. Le parfumeur Ernest Beaux, créateur du N°5 de Chanel, déclarait : *« Avec ce paquet de vanille, j'aurais juste été capable de créer une crème anglaise, tandis que lui, Jacques Guerlain, créa Shalimar. »* Ambre Précieux de Maître Parfumeur et Gantier et Ambre Sultan de Serge Lutens pour les Salons du Palais-Royal - Shiseido sont deux magnifiques interprétations de cet accord.

Et aussi : Soir de Paris de Bourjois, 1928 ; Vol de Nuit de Guerlain 1933 ; Bal à Versailles de Jean Desprez, 1962 ; Magie Noire de Lancôme, 1978 ; Must de Cartier, 1984 ; Ysatis de Givenchy, 1984 ; Parfum d'Hermès, 1984 ; Obsession de Calvin Klein, 1985...

Ysatis
de Givenchy

Bal à Versailles
de Jean Desprez

Ambre Sultan de Serge Lutens
pour les Salons du Palais-Royal - Shiseido

Must de Cartier

Shalimar de Guerlain

Habit Rouge de Guerlain

Les compositions orientales interprètent une variation autour de notes florales, poudrées et épicées comme dans Après l'Ondée (1906) et L'Heure Bleue (1912). Elles se mêlent aux fleurs et aux bois à foison : Habanita de Molinard (1924), parfait pour une garçonne, au cœur rose et jasmin sur un accord vanille-vétiver.
Les orientaux s'hespérident avec bonheur : avec Habit Rouge de Guerlain (1965), la parfumerie masculine se nimbe de sensualité. Son accord oriental cuiré regorge d'agrumes (orange, limette, citron, bergamote), de patchouli et d'épices.

En 1984, Dior et Chanel interprètent le retour des orientaux : sept ans après Opium d'Yves Saint Laurent, une composition opulente qui débordait d'œillet, de patchouli et de benjoin, étaient lancés Poison, parfum coup de poing qui faisait un dosage extrême de notes florales (tubéreuse), épicées, fruitées (baies sauvages) et musquées, et Coco, un fruité (pêche, frangipanier) épicé, premier parfum féminin créé par Jacques Polge après la mort de Coco Chanel.

Ambre Précieux
de Maître Parfumeur et Gantier

Poison
de Dior

Obsession de Calvin Klein

L'Osmothèque

UN PARFUM D'ÉTERNITÉ

L'Osmothèque, née en 1990, est un « *conservatoire international des parfums* ». « *Pas un musée,* précise Jean Kerléo, le fondateur du lieu qu'il a présidé pendant près de vingt ans. *Mais une galerie vivante que l'on doit entretenir, dont il faut constamment enrichir la collection.* »

Dans ce lieu entièrement voué à la mémoire des odeurs sont archivés plus de 1750 parfums : fragrances des plus grands nez ou compositions anciennes, dont 300 disparues, éditions limitées ou jus qui ont quitté les circuits commerciaux, souvent refaits à l'identique selon les formules originales — quand elles existent.

De vieux Guerlain, des disparus de François Coty ou de Paul Poiret... Les noms de ces joyaux sonnent comme des invitations au voyage : Zibeline, Peau d'Espagne, Le Matin au Bois, Coup de Foudre, L'Eau sans Pareille, Le Fruit Défendu, Crêpe de Chine...

Cette Osmothèque est une référence pour les professionnels, marques ou parfumeurs-créateurs, nombreux à venir chercher leur inspiration dans ce fonds inestimable. Mais aussi un lieu de plaisir pour les curieux et les amateurs qui viendront assister à une séance de découverte des senteurs perdues.

C'est aussi le dernier endroit où l'on peut sentir des matières premières animales qui ne sont désormais plus beaucoup utilisées pour des raisons économiques ou écologiques (l'ambre gris du cachalot, le musc tonkin du chevrotain...).

www.osmotheque.fr

Le temps d'un parfum

Ils ont vécu, quelques mois ou plusieurs années, incarnant une époque qui n'est plus.
Vous les avez peut-être portés, le temps d'un flacon ou d'une saison.
Ou en une seule occasion... Et puis un jour, voilà, disparus !

Des fragrances envolées...

Fête de Molyneux, 1962, bouquet floral
Mademoiselle Ricci de Nina Ricci, 1967, fleuri vert
Calandre de Paco Rabanne, 1969, fleuri aldéhydé
Eau Folle de Guy Laroche, 1970, hespéridé
Empreinte de Courrèges, 1971, chypré cuir
Quiproquos de Grès, 1975, chypré aromatique
Septième Sens de Sonia Rykiel, 1977, cuir
King Kong de Kenzo, 1979, chypré cuir
Métal de Paco Rabanne, 1979, bouquet floral
Nombre Noir de Shiseido, 1982, fleuri boisé fruité
Clair de Jour de Lanvin, 1983, bouquet floral
Ma Liberté de Jean Patou, 1987, semi-ambré fleuri
C'est la Vie de Christian Lacroix, 1990, ambré fleuri épicé
Parfum d'Elle de Montana, 1990, bouquet floral
Nuits Indiennes de Jean-Louis Scherrer, 1994, ambré poudré
Love d'YSL, 1993, fleuri vert
Sunflowers d'Elisabeth Arden, 1993, fleuri marin
Mahora de Guerlain, 2000, semi-ambré fleuri
Eau de Chaldée de Jean Patou, 1927, ambré fleuri épicé, et son alter ego sous le soleil, l'*Huile de Chaldée*...

D'autres compositions ont traversé le temps...

Eau de Cologne 4711 (Koëlnish Wasser) de Müelhens, 1792
Eau de Cologne de Jean-Marie Farina (*Eau de Cologne Extra-Vieille* de Roger & Gallet) 1806
Eau de Cologne Impériale de Guerlain, 1853
Jicky 1889, *Après l'Ondée* 1906, *L'Heure Bleue* 1912, de Guerlain
N'Aimez que Moi de Caron, 1916
Mitsouko de Guerlain, 1919
Tabac Blond de Caron, 1919
N°5 de Chanel, 1921
Shalimar de Guerlain, 1925
Habanita de Molinard, 1925
Bellodgia de Caron, 1927
Vol de Nuit de Guerlain, 1933
Femme de Rochas, 1944
Le Dix de Balenciaga, 1947
L'Air du Temps de Nina Ricci, 1947...

Des parfums qui ont pu marquer
votre enfance : l'odeur du chocolat en poudre Poulain, le savon de Marseille, le savon Donge à l'amande douce ou Zest au citron, l'Eau de Cologne ambrée du Mont-Saint-Michel, l'encens des églises, le Dermophil Indien, le lait Mustela, le Vick's, le papier d'Arménie, la colle Cléopatre, la crème Nivea... En avez-vous d'autres ?

Pour mettre en valeur les sillages,
mixez les textures entre elles : savonnez-vous mains et bras avec un savon parfumé, enduisez-les d'huile (le film gras attire et fixe les notes), puis déposez une touche de parfum enivrant.

Parisien et envie de luxe ?
Chez Guerlain, offrez-vous le Modelage impérial à l'eau de Cologne du même nom, la plus ancienne composition de la marque, créée en 1853. Une heure de lâcher-prise dans l'édifice mythique de la Maison, au 68 avenue des Champs-Elysées. En sortant, laissez-vous parfumer de Cuir Beluga, d'Angélique Noire ou d'Iris Ganache, parmi les dernières compositions de la collection L'Art et la Matière.

Initiez vos enfants aux senteurs :
pour les plus petits, avec un *Loto des Odeurs* (Sentosphère) ; pour les plus grands (et pour les adultes !), avec un Olfactorium, traduction miniature de l'orgue du parfumeur, disponible auprès de la société de formation et de création de parfum Cinquième Sens.

Se faire composer un parfum
rien que pour soi, c'est un luxe que s'offrent ou rêvent de s'offrir les belles élégantes et les dandys raffinés. Dans des maisons prestigieuses (Guerlain, Patou, L'Artisan Parfumeur...), par des « nez » confirmés (Thierry Wasser, chez Guerlain, Jean-Michel Duriez chez Patou, Bertrand Duchaufour chez L'Artisan Parfumeur, Francis Kurkdjian, l'auteur du Mâle et de Fragile de Jean-Paul Gaultier, qui a créé en 2001 sa société de parfums sur mesure), avec la complicité de chefs d'orchestre (Sylvaine Delacourte chez Guerlain, Pamela Roberts chez L'Artisan Parfumeur) qui font l'interface entre vous et le créateur. Plusieurs mois de confidences et d'essais, un savoir-faire traditionnel, les plus belles matières premières, pour une fragrance unique, exclusive et... à vie.
Une aventure dans laquelle vous êtes l'héroïne ou le héros de votre propre histoire olfactive !

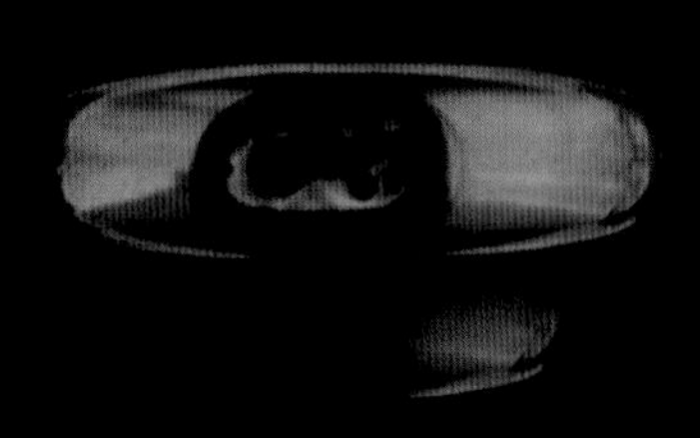

Insolites

Attention ! Jamais de parfum
sur les bijoux, et surtout sur les perles…
Jamais non plus sous le soleil.

Affranchissez-vous des discours
publicitaires et associez une fragrance
à un événement : un voyage, une rencontre,
une belle aventure…

Vous avez l'intention de sentir
plusieurs parfums successivement ?
Alors pensez à humer du café entre
deux prises, ou bien une odeur neutre,
un tissu que vous portez.

Femmes, assumez le côté masculin
qui est en vous. Selon vos goûts et vos
humeurs, osez le discret Pour un Homme
de Caron, le sensuel Habit Rouge de
Guerlain, le puissant Terre d'Hermès,
le subtil Dior Homme ou le gourmand
Méchant Loup de L'Artisan Parfumeur.

Où se parfumer ? *« Partout
où vous désirez être embrassée »*,
suggérait Coco Chanel ! En fait,
là où la peau est réchauffée par
le système veineux : nuque, creux
du décolleté, intérieur des poignets,
pli des coudes, derrière les oreilles…
Et pourquoi pas derrière les genoux,
sur les chevilles, autour du nombril
ou en bas du dos… ?
Mais aussi dans les cheveux,
sur un foulard (les mousselines
retiennent bien les odeurs),
un mouchoir ou une fourrure…

Hommes, laissez-vous tenter
par les fragrances féminines :
le mystérieux Bois des Iles de Chanel,
l'ensoleillé Habanita de Molinard, le racé
Vol de Nuit de Guerlain, le vert Diorella
de Dior, l'explosif 1000 de Patou, le tendre
Parfum Sacré de Caron, le lumineux Eau
d'Hiver de Jean-Claude Ellena aux Editions
de Parfums Frédéric Malle… Osez le jasmin
d'Acaciosa de Caron, la tubéreuse de
Femme de Rochas, la rose de Drôle
de rose chez L'Artisan Parfumeur…

Portez le même parfum que votre
partenaire. On trouve de très beaux
androgynes chez Serge Lutens (Chergui,
Fumerie Turque, Cuir Mauresque, Bornéo
1834…), chez Frédéric Malle (Noirs Epices,
de Michel Roudnitska, Cologne Bigarade,
de Jean-Claude Ellena, Musc Ravageur, de
Maurice Roucel) et chez Annick Goutal
(Sables, Musc Nomade, Ambre Fétiche…).

Offrez-vous une poudre parfumée
à l'ancienne (Caron, les Météorites de
Guerlain), un blush à l'odeur inimitable
(Bourjois), un baume à lèvres qui vous
rappellera le goût des Car-en-Sac
(Caudalie), un gommage qui sent le calisson
(Kibio), une belle bougie (Jacinthe
et Feu de bois de L'Artisan Parfumeur
au sortir de l'hiver, Muguet de Diptyque
au mois de mai, Le Sac de ma Mère
d'Annick Goutal à n'importe quel
moment).

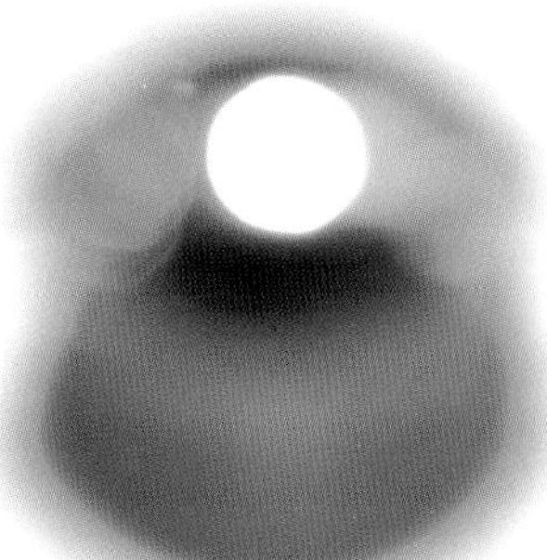

Paroles de créateurs

En adressant ce questionnaire « à la manière de Proust » à 30 parfumeurs ou directeurs de création des marques dont les compositions nous touchent, nous nous demandions s'ils seraient prêts à nous dévoiler l'imaginaire de leur métier et la réalité de leur pratique. Autrement dit, s'ils accepteraient de quitter un instant leur tour d'ivoire olfactive.

Le parfumeur, contrairement à d'autres auteurs-compositeurs, a un statut ambigu : il ne signe généralement pas son œuvre, s'efface derrière la marque pour laquelle il crée et réalise ses parfums au côté de « critiques olfactifs » — ces hommes et femmes de l'ombre capables d'évaluer ses compositions.

Il était temps de donner à ces acteurs toute la place qu'ils méritent. 21 d'entre eux se sont prêtés au jeu de 13 questions... bien senties.

- **Une odeur d'enfance**
- **Votre matière première fétiche**
- **La matière première qui vous résiste**
- **Votre plus belle aventure parfumée**
- **Que sentirait la « note bleue » ?**
- **Le parfum, « cet objet de luxe et de tous le plus superflu » *(Pline)* ?**
- **Un parfum pour un voyage**
- **Votre moment préféré dans la création**
- **Quel personnage souhaiteriez-vous parfumer ?**
- **Nez, parfumeur-créateur, compositeur, comment vous sentez-vous ?**
- **Une œuvre d'art qui rime avec un parfum**
- **Un parfum que vous auriez rêvé de créer**
- **Le parfum de demain**

Il y en a plein... bien ancrées dans nos mémoires. Jean Kerléo

Celle de l'écran pour visionner le film super-8, une odeur de cèdre.
Daniela Andrier

L'odeur des gaufrettes de ma grand-mère, grande tradition du Nord pour accueillir les vœux de la nouvelle année et tout le défilé de la famille. Des gaufres moelleuses à la cassonade. Je léchais, comme tous les enfants du monde, cuillères et fonds de plat. Sylvaine Delacourte

L'odeur de pierre humide de l'escalier chez mes grands-parents. Olivier Polge

L'odeur de la grève en Bretagne. La grève, cet espace libéré par la mer lorsque celle-ci se retire à marée descendante. Cette odeur unique, à multiples facettes, entièrement naturelle, est synonyme pour moi d'un paradis d'enfance. Enfant, chaque mois de juillet, nous allions passer nos vacances dans une île privée au fin fond de la Bretagne. Ces vacances, on les attendait pendant des mois. Et lorsque le grand jour arrivait, l'excitation était à son comble mais il fallait être patient car la route était longue, presque six heures à l'époque. Lorsque enfin nous touchions le but, la première chose que je faisais c'était de baisser le carreau de la voiture, qui roulait au pas pour traverser la grève, et là son odeur me remplissait d'un profond bonheur. Ce parfum, exquis pour moi, était composé d'un mélange de varech, de sable, de sel, d'air fortement iodé, à dominante aqueuse les jours gris et pluvieux et minérale les jours de grand soleil. Patricia de Nicolaï

L'odeur de mon oreiller dans notre maison de vacances au bord de l'Atlantique (je me racontais que cela sentait la souris et j'adorais) et l'odeur de notre cabine de plage. Isabelle Doyen

L'odeur des champs de jasmin autour de Grasse, au mois d'août au petit matin. En allant à la plage à Cannes, mon père s'arrêtait pour évaluer la qualité olfactive de la fleur qui allait être extraite quelques heures après ; ensuite, il me donnait un peu de concrète, que je gardais précieusement sur ma table de nuit. J'ai découvert là la délicieuse tonalité fleurie et envoûtante de cette fleur. Jacques Cavallier

Calèche d'Hermès. Ce parfum est né en même temps que moi, en 1961, ma mère le portait dans mes premiers jours...
Jean-Michel Duriez

L'odeur du frangipanier. Je la sentais sur la balançoire que mon père avait accrochée à une branche de l'arbre.
Shyamala Maisondieu

L'odeur des champs de jasmin à Grasse. François Demachy

L'odeur de la pierre mouillée après un orage, dans la maison de mon grand-père, à Aix-en-Provence.
Camille Goutal

• Une odeur d'enfance

L'odeur des genets dans la forêt de Chiberta
à Anglet. Frédéric Malle

L'odeur des feux de feuilles
de platane chez ma grand-mère. Jacques Polge

L'odeur de la tarte aux fraises que ma mère avait
confectionnée pour mes 4 ans. Nous étions au
beau milieu de la guerre (1941) et cette odeur
ne m'a jamais quitté. Jean-Paul Guerlain

Deux me viennent à l'esprit : la vanille
qui était contenue dans la Phosphatine
que je buvais à 4 heures et, dans un autre
registre, la résine et les aiguilles vertes
des mélèzes en Savoie. Richard Fraysse

La plus prégnante : le pain chaud,
la fournée. Mais aussi la terre mouillée. Serge Lutens

L'odeur de la pinède qui était derrière chez moi
à Vandœuvre (banlieue de Nancy). Bertrand Duchaufour

Celle des petits Lu, mous et rangés
dans une boîte hermétique et métallique.
Jean-Claude Ellena

Les colliers de fleurs fraîches de jasmin,
que je portais enfant, en Egypte.
Natalie Gracia-Cetto

Toute mon enfance a été marquée par le parfum
que portait ma mère et que mon père avait créé
spécialement pour elle. Bien que le facteur affectif
ait pu être déterminant dans cette fascination,
ce parfum est resté pour moi une référence absolue
en matière de composition. J'ai eu la grande joie
de lui permettre d'être enfin lancé par Frédéric Malle
sous le nom de Parfum de Thérèse quatre ans après
la disparition de mon père. Michel Roudnitska

Le riz au lait. Jean Laporte

Le néroli. C'est un produit magnifique à multiples facettes. Il sent bien sûr la fleur d'oranger, mais aussi la peau de bébé ; puis apparaît une note de tige boisée et, enfin, un côté aldéhydé presque animal. Il donne énormément de fraîcheur et, même utilisé en faible quantité (sans qu'on le devine), il est un remarquable catalyseur des notes fleuries. Je n'en mets pas systématiquement mais presque... Et c'est aussi le souvenir d'enfance de quelques gouttes dans de l'eau sucrée pour s'endormir... Richard Fraysse

L'absolu d'osmanthus, avec laquelle j'ai créé Un Amour de Patou, lancé en 1998 juste après mon arrivée dans la Maison, en 1997. Jean-Michel Duriez

J'aime beaucoup les notes boisées, et notamment le cèdre que l'on retrouve dans la plupart de mes notes de fond. J'ai aussi un faible pour le cashmeran, qui est réellement envoûtant et qui est presque un parfum à lui tout seul. Michel Roudnitska

La rose sous la forme d'essence distillée en Bulgarie, pour son extraordinaire accent liquoreux en tête, et l'absolu rose Centifolia de Grasse, qui est une note de cœur aux tonalités fleuries et miellées, c'est du Van Gogh ! J'utilise de l'essence ou de l'absolu de rose dans mes parfums féminins ou masculins... Pour moi, les odeurs ne sont pas masculines ou féminines. Jacques Cavallier

Je dirais que je vis des moments de passion avec certaines de mes matières premières et que ces passions changent avec l'évolution de ma maturité créatrice. J'ai beaucoup aimé la tubéreuse, puis l'essence de bois de cèdre, maintenant j'aime beaucoup le patchouli que je trouvais écœurant et vulgaire il y a quelques années... L'absolu gousse de vanille ne me trahit jamais. Mais s'il faut en mettre une en avant plus particulièrement, c'est l'essence de rose bulgare. Je ne me lasse pas de la sentir et de travailler avec. Patricia de Nicolaï

L'ylang-ylang, le néroli, le prunol [*un accord fruité*], l'isobutylquinoléine [*une molécule de synthèse, note cuir par excellence*]. Camille Goutal

Il y en a plusieurs, mais si je devais en élire une, je dirais la rose. Jean-Paul Guerlain

Le patchouli. C'est à la fois enveloppant, mystérieux, sensuel et plein de promesses. François Demachy

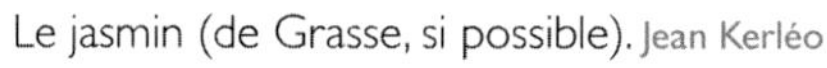

Le jasmin (de Grasse, si possible). Jean Kerléo

• Votre matière première fétiche

Le davana... Pas un parfum sans en mettre.
Bertrand Duchaufour

L'iris. Daniela Andrier

L'essence de rose turque.
Isabelle Doyen

Le jasmin. Jacques Polge

Je n'en ai pas. Cela dépend du sujet. L'écrivain a-t-il des mots favoris ? Il a ceux qui expriment le plus justement le sujet. Cependant, j'aime ce qui accroche les essences entre elles, les bitumes, notamment le ciste-labdanum. Serge Lutens

Le cachemire. Je n'en ai aucune en parfumerie. Jean-Claude Ellena

La vanille. C'est tellement riche, différent en fonction des provenances — Tahiti, Comores, Mexique... — et de l'origine botanique, *Planifolia* ou *Tahitensis*. J'adore la vanille *Tahitensis*, parce qu'elle est florale, héliotrope, poudrée. Sylvaine Delacourte

Le patchouli. Plus généralement les notes boisées, baumées, ambrées.
Olivier Polge

La fève tonka.
Natalie Gracia-Cetto

Le patchouli. Frédéric Malle

Les fruits rouges.
Jean Laporte

L'ylang-ylang. Shyamala Maisondieu

L'essence de feuilles de coriandre, si puissante, verte et grasse à la fois. Je n'ai pas réussi à l'utiliser autrement que comme le faire-valoir d'autres matières. Dès qu'on la détecte, ça sent la cuisine chinoise... Jean-Michel Duriez

Le bourgeon de cassis.
Jean Kerléo

Les matières premières ne sont pas difficiles à utiliser. Mais des associations peuvent ne pas fonctionner, ou des intentions être difficiles à mettre en œuvre. Olivier Polge

Aucune. Shyamala Maisondieu

L'essence de lavande, j'aime son parfum complexe et contrasté : départ frais et fond poudré, mais j'ai du mal à l'utiliser. L'essence de ciste me résiste aussi.
Patricia de Nicolaï

L'iris : la plus chère, la plus insignifiante pour moi par le fait même que je l'appréhende peu dans un accord... Bertrand Duchaufour

L'osmanthus. Ou bien je n'en utilise pas assez, et l'intérêt est nul, ou j'en utilise trop, et sa note d'eau de vie et de sucre devient trop présente. Peut-être ne suis-je pas assez amoureux de cette matière première... Richard Fraysse

Toutes, autrement je ne ferais pas ce métier. Daniela Andrier

La myrrhe. Elle m'attire, elle me séduit, mais je n'arrive toujours pas à la dompter.
Natalie Gracia-Cetto

La calone. A priori, je déteste, mais il faut être humble. Je l'ai parfois acceptée dans certaines soumissions à dose infinitésimale. Elle donne du lift, de la fraîcheur, du souffle. Alors j'ai dû capituler. Sylvaine Delacourte

Pendant longtemps, les muscs — peut-être sous l'influence de mon père, qui les utilisait à dose homéopathique. A la demande d'une cliente américaine, j'ai finalement accepté de me confronter à ce défi et j'ai créé Ellie et Ellie Nuit, qui contiennent près de 30 % de muscs ! Mais il m'a fallu deux ans pour éviter les aspects habituels « poudré vieillot » ou au contraire « lessive », et trouver la juste harmonie qui leur confère modernité et raffinement.
Michel Roudnitska

La liste est trop longue ! Frédéric Malle

• La matière première qui vous résiste

Par ce fait, elle pourrait être celle qui me fascine le plus. Je n'en ai pas en tête, mais dans le proche passé j'ai pris un pari sur le vétiver. Je l'ai travaillé pendant sept ans. Il fallait trouver une nouvelle clé à sa matière, une issue différente de celle traditionnellement utilisée, c'est-à-dire plus ou moins jusqu'alors dans des colognes. Serge Lutens

La coumarine. Isabelle Doyen

Aucune. Jean Laporte

La tubéreuse. Jacques Polge

Je dirais la rose, pour la simple raison que ma mère l'a explorée indéfiniment et avec succès, et que je ne souhaite pas m'y aventurer... Camille Goutal

Le cumin. Je pense voir l'intérêt qu'il pourrait apporter mais je n'ai jamais réussi à le doser. Je lui trouve une odeur de punaise écrasée. François Demachy

Le patchouli d'Indonésie, un véritable tigre olfactif, difficile à capturer et d'une force inimaginable, avec ses facettes de terre humide et de bois putréfié ! Impossible à apprivoiser... mais tellement délicieux à approcher... Je cherche encore et je trouverai ! Jacques Cavallier

L'odeur du vent. Jean-Claude Ellena

La pivoine. Jean-Paul Guerlain

Yohji Homme de Yohji Yamamoto, en 1999, une création sans compromis basée sur le rhum, le café et un soupçon de réglisse... Jean-Michel Duriez

La Cité interdite et son jardin impérial, à Pékin. Jean-Claude Ellena

Chaque parfum a une histoire originelle que je développe avec plus ou moins de bonheur, c'est-à-dire de chance ! Ambre Sultan en fut une très passionnante. Elle initia l'Orient léger de ma parfumerie et sa suite. Serge Lutens

La première : L'Eau d'Issey pour femme, d'Issey Miyake. Un défi fou : donner une odeur à l'eau ! J'ai choisi, avec Issey, de faire un lit de fleur sur l'eau pure. Depuis quinze ans, ce parfum est toujours dans les meilleures ventes, grâce aussi à un flacon extraordinaire. Jacques Cavallier

Ce Soir ou Jamais, immense quête que nous avons eue avec Annick [*Goutal*], et Turtle, un projet actuel. Isabelle Doyen

Songes, le parfum qu'Isabelle [*Doyen*] et moi avons créé à la suite d'un voyage à l'Ile Maurice. Il me transporte très loin du moment présent et j'ai l'impression de le redécouvrir chaque matin en le portant. Camille Goutal

Elle date des dix années où j'ai vécu sous les tropiques, et plus particulièrement en Polynésie. Parmi les fleurs tropicales, qui m'ont toujours inspiré, l'une, le Ginger Lily, est longtemps restée mystérieuse pour moi. Elle ne dévoilait son parfum subtil et suave que dans des vallons sauvages sous la forme d'une fleur très discrète mais dont l'odeur pouvait être perçue cent mètres à la ronde. J'ai cherché à mémoriser son spectre olfactif jusqu'à mon retour en métropole et j'ai enfin réussi à la reconstituer au bout de plusieurs mois. C'est à partir de cette base que j'ai ensuite composé Amoureuse (Parfums DelRae). Michel Roudnitska

L'Instant de Guerlain. C'était un challenge, le parfum qui devait remettre Guerlain sur orbite, c'est grâce à lui que j'ai obtenu la confiance de ma direction, et donc le titre de directrice de la création. Sylvaine Delacourte

Toujours la prochaine. Daniela Andrier

Lorsque je sens dans la rue un parfum que j'ai créé, porté par une inconnue, c'est à chaque fois la même surprise, la même émotion. Natalie Gracia-Cetto

• Votre plus belle aventure parfumée

Une belle inconnue croisée par hasard qui porte un de mes parfums. Jacques Polge

Notre prochain parfum. Frédéric Malle

Dzongkha, Timbuktu, Fleur de liane (le dernier-né chez l'Artisan Parfumeur), Sienne l'hiver (Eau d'Italie)... Tous ces parfums dont j'ai profondément vécu l'atmosphère par le voyage. Bertrand Duchaufour

Quitter mon pays, la Malaisie, et arriver à l'école de parfumerie de Givaudan à Grasse. Shyamala Maisondieu

La précision et la violence du souvenir quand j'ai ressenti le parfum de ma mère. François Demachy

Lorsque j'ai remporté le premier prix du concours du jeune parfumeur organisé par la Société française des parfumeurs en 1988. Mon parfum, selon le règlement, était présenté de façon complètement anonyme puisque qu'il comportait, à titre de nom, trois initiales. Ces initiales correspondaient à une enveloppe pareillement nommée afin de révéler l'heureux gagnant. Les trois lettres étaient O N E. En lançant ma marque, ce parfum a été le tout premier référencé et se vend toujours sous le nom de Number One. Il connaît un franc succès. Patricia de Nicolaï

Mûre et Musc, de Jean Laporte-L'Artisan Parfumeur. Jean Laporte

La création d'un parfum pour Bob Marley qui s'appelait Ganja (ce qui veut tout dire) et qui devait sentir le haschich, une odeur que j'avais sentie autour de moi mais que je ne connaissais pas. Après de nombreux déplacements, en jet, du staff Marley de Kingston à Miami et une quarantaine d'essais, le parfum fut accepté et fabriqué, malheureusement à seulement 4 000 exemplaires pour des raisons financières non liées au parfum. Ce fut un challenge très attrayant. Richard Fraysse

Lorsque j'ai créé Samsara pour la femme de ma vie qui ne portait pas de parfum. Pour la séduire, je lui ai demandé ses senteurs préférées, et elle m'a avoué qu'elle avait un faible pour le jasmin et le santal. Comme on le dit dans le jargon de l'opéra, j'avais l'argument, à moi de composer. Jean-Paul Guerlain

Les monolithes de Richard Serra. Isabelle Doyen

Celle de la lune... que je n'ai pas encore imaginée... Camille Goutal

Rohmer ou Guerlain.
Jacques Polge

Pour moi, la note bleue est poudrée, feutrée, un demi-ton, indéfinissable, subtil, aérien, entre iris et héliotrope. C'est aussi la couleur de ces fleurs et ma couleur préférée, c'est un moment de recueillement, d'entre-deux, de silence. Cela laisse présager une œuvre magistrale, la perfection même. Sylvaine Delacourte

L'Heure Bleue de Guerlain. Daniela Andrier

Sûrement pas une note marine. Je l'associe plutôt au bleu du ciel et aux yeux bleus. Cette note doit être solaire (ylang-jasmin par exemple) et comme le ciel bleu, pourquoi ne pas y associer des notes du Sud, de garrigue (thym-ciste par exemple), et le bleu de la lavande ? Richard Fraysse

Au cours de mes spectacles olfactifs, j'ai l'habitude d'associer la couleur bleue à une composition fraîche, aquatique et mentholée (dihydromyrcénol + aldéhyde cyclamen + menthol) et cela fonctionne plutôt bien. Michel Roudnitska

Le muscari, une toute petite fleur, fragile et délicate, d'un bleu intense, à l'odeur musquée et laiteuse à la fois. Shyamala Maisondieu

Guerlain l'a déjà inventée, L'Heure Bleue... Jean-Michel Duriez

La camomille bleue... Pour ça, je suis basique et bête parce que c'est très, mais très subjectif. Autant ne pas en parler. Bertrand Duchaufour

Une peau féminine, dans une boîte de jazz. Jean-Claude Ellena

Si elle est profonde, le patchouli. Jean Laporte

• Que sentirait la « note bleue » ?

Votre question m'évoque irrésistiblement notre parfum, L'Heure Bleue.
Iris, violette, c'est un petit bijou, un parfum poudré, délicat, très féminin. Jean-Paul Guerlain

Pour moi, c'est la « blue note », cet accord de jazz si particulier, teinté de tristesse, de nostalgie, de blues. Elle sent l'ambroxan, une molécule de synthèse qui rappelle l'odeur de l'ambre gris, du bois et de la cigarette. Natalie Gracia-Cetto

La vanille. Olivier Polge

La note bleue doit être fraîche comme l'azur, profonde comme la mer et attirante comme les yeux d'une femme. François Demachy

Il y a plusieurs bleus ; mon préféré est le bleu de Méditerranée, un accord de notes marines et aromatiques, du romarin, du ciste et de la fleur d'oranger. Jacques Cavallier

Je dirais qu'elle est un peu ma couleur. J'aime les rouges bleutés, les pourpres, les verts émeraude, de l'azul à la nuit... Ce serait un paradoxe aérien et léger, beaucoup plus un effet de synthèse, et aussi une note profonde et sombre comme le bleu des grands fonds et de la nuit. Et là, je me hasarde et je fantasme : un jasmin bleu dévoré par un animal fabuleux ! Serge Lutens

Une très belle lavande fraîche et aqueuse ou une violette transparente ozonique. Patricia de Nicolaï

Elle n'existe pas mais...
L'Heure Bleue de Guerlain
en est une belle expression. Jean Kerléo

Plutôt que superflu,
je parlerais d'immatériel. Olivier Polge

Cocteau n'a-t-il pas dit : « *Rien n'est plus grave que la futilité* » ?
Il y a là du vrai, me semble-t-il... Jacques Polge

Pline était un grand stoïcien, en réaction à la luxure et à la décadence de l'Empire romain, mais bien avant son époque le parfum était considéré comme un intermédiaire entre les dieux et les hommes. Il a perdu au fil des siècles son caractère sacré et a été réduit à un instrument de séduction. Il a fallu attendre la fin du 20e siècle pour qu'il soit enfin considéré comme une œuvre de l'esprit pouvant satisfaire à tous les critères de l'esthétique (voir *L'Esthétique en question*, d'Edmond Roudnitska). Michel Roudnitska

Cela a bien changé ! Le luxe est un mot vide de lui-même. Pour le superflu, ce serait bien, mais le parfum se prend aujourd'hui très au sérieux. Hélas ! Serge Lutens

Ce n'est pas ou plus un luxe actuellement mais quelque chose d'indispensable et de bouleversant. Isabelle Doyen

« *Le luxe n'est pas un plaisir, mais le plaisir est un luxe* » Francis Picabia. Jean-Claude Ellena

Non, essentiel. Jean Laporte

C'est amusant de voir qu'à l'époque des Romains le parfum était déjà considéré comme un objet de luxe par certains... Pour ma part, je ne l'ai jamais considéré comme tel. Tout simplement parce qu'il est indispensable à ma vie de tous les jours ! Ce n'est donc pas un luxe, mais une nécessité... Une échappée, un rêve, une identité, un pouvoir de séduction, une douceur, un appel à la langueur... Tout cela est-il superflu ? J'espère que non ! Camille Goutal

Ou quand le superflu est devenu essentiel. Je remarque que toutes les grandes créations en parfum se sont faites dans des moments de grandes perturbations sociales ou économiques. Il nous faut simplement respecter la nouvelle notion de luxe sans être dans une niche et résister aux sirènes de la massification qui risque de tuer tous les métiers d'art. Jacques Cavallier

Espérons qu'il restera un objet de luxe, de rêve, car cela doit être sa vocation. Je dirais même qu'il se doit d'être un objet d'exception. Le sens du parfum pour Pline ne devait pas être le même qu'aujourd'hui, car le choix était beaucoup plus limité et sa vocation finale différente (soins, religion). Affirmer ou renforcer sa personnalité en portant un parfum qui vous ressemble n'est pas superflu, loin de là. Richard Fraysse

Je ne suis pas tout à fait d'accord avec Pline ! Quelle arrogance, me direz-vous, mais pour moi le parfum est tout sauf superflu. C'est non seulement un atout dans la séduction mais un incroyable déclencheur de souvenirs. Combien de fois ai-je entendu, dans ma vie de parfumeur, des personnes me racontant leur émotion en ouvrant un flacon... Des pans de vie surgissent, des personnes disparues revivent l'espace d'un sillage. Le parfum bâtit aussi une part de rêve dans nos pensées les plus lucides ; il est par-dessus tout le silencieux complice de nos passions et de nos désirs. Jean-Paul Guerlain

• Le parfum, « *cet objet de luxe et de tous le plus superflu* » (Pline) ?

Le parfum est plus qu'une parure, plus qu'un objet de luxe, plus important qu'il n'y paraît. Quand on a trouvé « son » parfum, c'est comme si on avait trouvé son âme sœur, son double : il ne vous lâche plus ! Vous dormez avec, il vous précède, vous suit, vous signe, laisse une trace de vous indélébile chez ceux que vous aimez. Vous le transformez, il vous appartient, c'est une thérapie. Bref, essentiel. Sylvaine Delacourte

Le parfum, ce compagnon fidèle agrandisseur de nos émotions. Jean-Michel Duriez

Les grands parfums sont un luxe et, comme tous les luxes nécessaires, ils vous accompagnent comme une seconde peau. François Demachy

Comment cela, superflu ? Le parfum est le plus fidèle support de notre mémoire. Il fait partie intégrante de la personnalité de chacun. L'homme a su créer des bonnes odeurs appelées parfums, qui ont d'abord permis l'acte spirituel dans la relation avec l'au-delà, avant de devenir des accessoires de séduction et de plaisir. En créant, le parfumeur accomplit un véritable acte artistique. Depuis quand l'art est-il superflu ? Patricia de Nicolaï

J'aimerais que cette phrase soit une réalité. Natalie Gracia-Cetto

Rien de ce qui étoffe notre mémoire n'est un luxe superflu. Daniela Andrier

Le parfum est un souvenir qui a le pouvoir de nous projeter dans le futur. Shyamala Maisondieu

Il a raison, le vieux ! Dans 99 % des cas, c'est n'importe quoi, mais il existe des instants où la femme qui le porte, où l'odeur, n'importe laquelle, que vous rencontrez, vous fait chavirer dans une vague d'émotion avec laquelle seuls les éphémères instants de bonheur, la fugacité de la jouissance peuvent rivaliser... Bertrand Duchaufour

Le parfum est un objet de rêve et un complément de la personnalité (pas si superflu). Jean Kerléo

Le parfum n'a rien de superflu, c'est un élément essentiel du plaisir. Frédéric Malle

L'eau de Cologne. Ça ne sert à rien de sentir fort en voyage, alors que c'est justement l'occasion de tourner son nez vers les autres. Frédéric Malle

Beaucoup de fraîcheur (agrumes, menthe), presque une eau de Cologne avec laquelle on se fait plaisir mais qui doit rester discrète et, surtout, ne pas déranger. Richard Fraysse

Une eau de Cologne.
Olivier Polge

Pour moi, il n'y a pas de parfum pour l'été, pour l'hiver, pour un mariage, pour un dîner en amoureux... Il ne devrait pas y avoir de règles ! Juste une envie, un désir, un « ressenti » qui correspondent au moment que vous êtes en train de vivre et qui VOUS correspondent. Personnellement. Cela ne devrait pas être un choix guidé par la norme. Camille Goutal

Plutôt un parfum pour certains moments : Sables à porter l'été dans le Sud comme pour rajouter de la chaleur torride, et Vol de Nuit porté à 5 heures du matin avant de se coucher au retour d'une super-fête. Isabelle Doyen

C'est un parfum qui doit traverser toutes les cultures, à la fois universel et très typé, une synthèse Orient-Occident. C'est dans cet esprit que j'ai composé celui que j'aime porter lors de mes nombreux voyages. C'est d'ailleurs les seuls moments où je peux me parfumer car sinon cela m'empêche de travailler ! Il a été commercialisé en 2007 sous le nom de Shiloh. Michel Roudnitska

Quelle bonne idée ! Associer un parfum à un moment précis, c'est le meilleur moyen de le graver dans la mémoire. Quant au choix de ce parfum, il en va du goût de chacun ainsi que de la destination.
Patricia de Nicolaï

Dans les pays chauds, je m'inonde de 4711 L'Eau de Cologne. Dans les pays froids, je ne quitte jamais Shalimar. Jean-Michel Duriez

Jardins de Bagatelle pour une escapade en Sicile. Samsara pour une visite du sud de l'Inde. Insolence pour une virée en Italie. Spiritueuse Double Vanille, et l'île de Mayotte et ses plantations de vanille sont à vous ! Toutes mes créations sont peu ou prou liées à des contrées. Je voyage beaucoup pour l'achat des matières premières naturelles, les paysages et les marchés sont pour moi de formidables sources d'inspiration. Jean-Paul Guerlain

Eau de Gucci II. Shyamala Maisondieu

Non. Mais les voyages sont générateurs d'idées de parfums... Jean Kerléo

• Un parfum pour un voyage

Celui qui vous emporte en vous laissant sur place ou celui qui, comme Baudelaire, qui nous dit que les vrais voyageurs sont ceux-là mêmes qui partent pour partir. Les deux sont beaux. Ils vous recentrent. Il n'y a pas de recette au départ. Serge Lutens

Infusion d'Iris, écrit comme un voyage en Italie. Daniela Andrier

Le Bulgari pour Homme, qui convient également aux femmes ! Sa dominante de muscs associée aux bois avec un zeste de thé Darjeeling est un must de l'élégance en parfum. Ou alors Eau sauvage de Dior, c'est comme du Mozart, c'est universel ! Jacques Cavallier

Escale à Portofino, un voyage olfactif en terre italienne. François Demachy

Coco pour Venise. Jacques Polge

Je n'en emporte jamais, pour être totalement libre et pouvoir m'imprégner de nouvelles senteurs qui, à mon retour, se transformeront en souvenirs. Natalie Gracia-Cetto

Celui qui m'a fait rentrer chez Guerlain : L'Heure Bleue. Il m'accompagne partout... quand je me parfume. Au bureau, je ne me parfume pas : trop d'essais dans le nez, dans la tête, sur la peau, je sature ! Quand je voyage, je l'aime encore plus. Parce qu'il me permet de reprendre contact avec moi. Sylvaine Delacourte

Habit Rouge de Guerlain. Elégant et raffiné, il s'adapte à tous les climats, à toutes les ambiances. Jean Laporte

Le parfum du thé. Jean-Claude Ellena

Celui où l'on avance. On essaie, on découvre car le parfum est organique, s'il est naturel, et prend des routes imprévues, quelquefois magnifiques, d'autres fois infréquentables. Serge Lutens

Lorsque je viens d'avoir une idée, qu'une odeur se précise dans ma tête. Une odeur qui n'existe nulle part ailleurs que dans mon cerveau ! Et évidemment, après des centaines d'essais, lorsque l'on en sent un en particulier et que l'on sait que c'est le bon. Camille Goutal

L'excitation qui précède et le calme qui suit. Daniela Andrier

Les débuts. Jacques Polge

Le moment où le premier essai est le bon... c'est-à-dire jamais... Jean-Michel Duriez

Lorsque je sens un de mes parfums et qu'apparaît une évidence. Olivier Polge

C'est l'instant magique et exaltant où la forme olfactive originale que l'on recherche apparaît soudainement et provoque l'émotion tant attendue. Intervient ensuite le travail d'orchestration et d'harmonisation qui peut durer des mois et se révéler ingrat... Puis vient le moment où, d'un commun accord avec le client, on considère le parfum comme achevé. C'est alors le soulagement d'avoir mené ce travail à son terme. Michel Roudnitska

Quand, au milieu du labyrinthe « créatique », tout à coup quelque chose bascule, on a trouvé et on aperçoit enfin la lumière de la sortie. Isabelle Doyen

Quand je décide de créer le truc (souvent inspiré d'un moment quelque part...). Les prémices de l'accord dans ma tête, lorsque toutes les idées se bousculent avec les matières premières que je décide d'utiliser. Bertrand Duchaufour

• Votre moment préféré dans la création

Le tout début... La page blanche, l'excitation de sentir les premiers essais qui sont issus d'une idée de la pensée résultant d'une longue accumulation de mémorisation des odeurs. Ensuite cela peut être très long et même parfois douloureux,car on peut facilement se perdre dans les méandres de la création... avant de retrouver une autre période jubilatoire, celle où on décide d'arrêter le travail parce qu'il est satisfaisant et où l'on imprime la formule finale. Puis vient la première pesée pour la fabrication, que je fais moi-même, et là aussi c'est un moment agréable. Patricia de Nicolaï

Le commencement, les débuts, les prémices. Shyamala Maisondieu

Le plaisir physique de l'odeur. Jean-Claude Ellena

Quand la femme pour qui j'ai composé le parfum me dit : *« C'est bon, je l'aime. »* Là, j'arrête mes élucubrations et accepte de finaliser la formule. Comme tous les créateurs, je suis à la recherche de la perfection ultime. J'ai beaucoup de difficultés à écrire le mot « fin » sous une formule. Jean-Paul Guerlain

Le moment où je suis seul dans mon laboratoire, à Neuilly, ou chez moi, à Cabris, à côté de Grasse ; je mets en forme mes idées olfactives, qui sont des ébauches, là tout me semble possible, ça peut durer des heures ou des jours, c'est une forme de jouissance que de pouvoir créer des choses avec ce sentiment de liberté absolue, mais c'est aussi des moments de doutes terribles ! Jacques Cavallier

Celui où il faut se creuser les méninges pour trouver le concept olfactif, l'idée forte. C'est excitant, ça vous empêche de dormir, mais quand c'est clair, c'est parti, on peut commencer l'écriture ! Sylvaine Delacourte

Lorsque le parfum est pratiquement terminé et qu'il correspond bien à ce que l'on a imaginé au départ (et qu'il séduit les femmes qui le portent et leur entourage). Jean Kerléo

Quand le parfum que l'on crée suscite le désir. François Demachy

L'ébauche. Natalie Gracia-Cetto

Sentir le produit porté par une cliente. Jean Laporte

Le début, quand on découvre le thème à développer, et la fin, quand tout se met en place. Frédéric Malle

Toutes les personnes dont je n'aime pas le parfum. Frédéric Malle

C'est la chose la plus difficile au monde, mais s'il y en avait un ce serait... le président de la République. J'ai lu qu'il portait des parfums assez classiques à base de vétiver. Une telle énergie et cette volonté, c'est intéressant à parfumer. Jacques Cavallier

Lou Reed,
Frida Kahlo,
le professeur Rogue,
Corto Maltese,
Michael H. Shamberg.
Isabelle Doyen

La sculpture *Amour et Psyché* de Canova... Ophelia et Juliette, les merveilleuses héroïnes de Shakespeare. Camille Goutal

Baudelaire (il a écrit de belles choses sur les odeurs !). Je pense que si j'avais réussi à faire un parfum sur mesure à M. Baudelaire, j'aurais été très fière ! Sylvaine Delacourte

Le pape.
Ou le dalaï-lama.
Parce que l'odeur de sainteté doit être extraordinaire. Jean Laporte

Les Beatles. Daniela Andrier

Monna Lisa... pour la rendre plus expressive et plus séduisante ! Jean Kerléo

Hitler et Dalida. Serge Lutens

Tous les SDF de Paris qui sentent mauvais, les laver d'abord, les parfumer ensuite. Sinon je souhaiterais créer un parfum pour le pape. Un seul et unique parfum pour le représentant de Dieu sur terre ! Patricia de Nicolaï

Pina Bausch. Shyamala Maisondieu

Ma copine Aphrodite, parce qu'elle est callipyge ! En d'autres termes, la dévotion est quelque chose de bâtard. Bertrand Duchaufour

• Quel personnage souhaiteriez-vous parfumer ?

La Callas, mais elle est morte.
Olivier Polge

Parfumer quelqu'un, c'est d'une certaine façon lui signifier le désir de le posséder. Alors je garde la réponse pour moi. Jean-Claude Ellena

Louis XIV, qui ne disposait que des quelques huiles de l'époque (rose, violette) mais qui était l'amateur d'arts que nous connaissons. D'une manière un peu prétentieuse, j'aurais été fier de l'étonner et de le surprendre. Richard Fraysse

Très simplement, la femme que j'aime en ce moment, car l'amour suscite les plus belles inspirations et j'ai besoin de ce rapport direct pour donner le meilleur de moi-même. Mais s'il fallait choisir un personnage connu, ce serait probablement Lilith, l'archétype de la femme libre, sauvage et initiatrice, celle qui détient la connaissance instinctive, la grande chamane en contact avec les forces primordiales de la Nature. Michel Roudnitska

Le « Sein » Père, pour changer l'odeur de sainteté... François Demachy

Robinson Crusoé, pour qu'il se sente moins seul. Natalie Gracia-Cetto

Marie-Antoinette, à qui je ferais en même temps déguster des pâtisseries Pierre Hermé. Jean-Michel Duriez

La marquise de Merteuil.
Jacques Polge

Je n'en ai aucune idée. J'ai toujours créé pour des personnes vivantes que j'aime ou que j'admire. Jean-Paul Guerlain

Créateur de parfum. Daniela Andrier

J'aime la dimension artisanale du métier de parfumeur : un métier avec des matières et un vrai savoir-faire. Je parlerais donc plutôt d'artisan. Olivier Polge

Je n'aime pas le mot « nez ». Pourquoi pas « œil » pour un peintre ou « oreille » pour un musicien ? « Compositeur de parfums » me plaît bien, mais ma modestie ou ma timidité font que je le trouve un peu pompeux. J'opte donc pour « créateur-parfumeur ». Richard Fraysse

Flottante... Camille Goutal

Comme quelqu'un qui vit sa passion à 200 %. Je ne vois pas le temps passer et je ne me vois pas faisant autre chose... à part peut-être la peinture que j'exerce en amateur. Patricia de Nicolaï

Parfumeur-créateur. Jean Kerléo

Je n'aime pas tellement le terme restrictif de « nez ». Personne n'appelle un compositeur de musique une « oreille » ni un peintre un « œil »... Je préfère le terme de « compositeur de parfums » car il exprime bien l'essence même de notre création qui consiste à assembler des matières premières selon des « formes olfactives » complexes et harmonieuses. C'est un travail essentiellement mental faisant appel à l'imagination, pour lequel la capacité discriminatoire du nez n'est pas fondamentale. Michel Roudnitska

Je suis un compositeur de parfum, je pense mes accords avant de les réaliser au laboratoire. Tout est dans le cerveau, je retranscris mes émotions avec des parfums ; le nez, lui, ne fait que vérifier si c'est bon ou pas. Comme tous les artistes, j'ai des phases de doute. Le matin quand je me lève, je ne sais pas ce que je vais créer. Ce moment d'incertitude me rappelle à chaque fois que je dois me remettre en question et avoir une vision de ce que je veux faire, et cela au prix de milliers d'essais... Jacques Cavallier

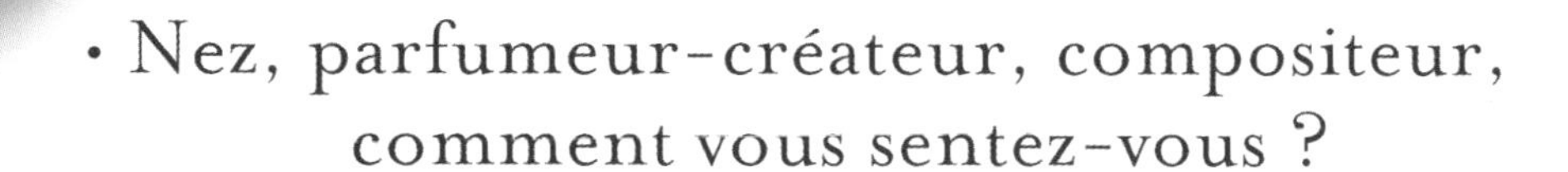

• Nez, parfumeur-créateur, compositeur, comment vous sentez-vous ?

C'est mon travail qui me définit. On pourrait dire qu'il est littéraire, olfactif. Je suis beaucoup plus un « aboutiste » qu'un perfectionniste. Je travaille avec l'obsession.
Je suis un « obsessioniste ». Serge Lutens

Je me sens compositeur de parfum, comme d'autres composent de la musique, écrivent ou peignent. Jean-Claude Ellena

Créatrice de parfum/apprentie sorcière. Isabelle Doyen

Je n'aime pas le mot « nez », on ne parle pas d'un pianiste en le qualifiant de « doigt » ! Même si on m'a souvent nommé le « musicien des odeurs », et j'en suis extrêmement flatté, je pense tout de même que je suis avant tout un parfumeur-créateur. Ce titre me comble et me réjouit. Jean-Paul Guerlain

Un peu tout ça, mais je pense être surtout instinctive, intuitive. Je sais écouter, je suis un bon coach, j'adore travailler avec un parfumeur. Chaque création est une nouvelle aventure, palpitante, parfois douloureuse, mais c'est surtout un partage. Sylvaine Delacourte

Architecte-décorateur
de votre environnement immédiat
et invisible. Jean-Michel Duriez

Créateur. Shyamala Maisondieu

Parfumeur. Natalie Gracia-Cetto

Je me sens plutôt comme un interprète des moments, des événements de la vie, utilisant un langage que peu connaissent mais que tous comprennent. François Demachy

Ben... tout ça à la fois,
j'en ai rien à faire. Bertrand Duchaufour

Editeur de parfums. Frédéric Malle

Je ne me sens pas... Jacques Polge

Un poème ou une œuvre musicale. Jacques Polge

Le Concert, la dernière œuvre de Nicolas de Staël, m'évoque Habit Rouge de Guerlain. Charogne, de Charles Baudelaire, mon inspiration pour Charogne d'Etat Libre d'Orange, tout simplement. Shyamala Maisondieu

Une œuvre musicale. Les deux font appel à des sens, leurs objets sont immatériels et étroitement liés à l'inconscient.
Olivier Polge

Le sourire de la Joconde, de la Belle Ferronière et surtout celui de la Scapiliata, trois œuvres de Vinci, le sourire de ces femmes que l'un des plus grands génies de tous les temps a portées aux nues sans jamais les avoir touchées... L'expression même du parfum : une empreinte indélébile sur la mémoire et pourtant des plus impondérables. Bertrand Duchaufour

Les Demoiselles d'Avignon, de Pablo Picasso, avec le Classique de Jean Paul Gaultier. Quand je vais au MoMA à New York, je peux rester un bon moment devant ce tableau. Avant de créer ce parfum, j'imaginais en le regardant des effluves de fleur d'oranger et de rose dans un bain de vanille. Depuis, je mets Classique sur la peau, et tous les deux nous allons admirer cette œuvre, ça décuple mes émotions. Jacques Cavallier

Hommage au carré, de Josef Albers, le vert (*Formal Garden*). Jean-Claude Ellena

Le parfum Noir Epices (Editions de Parfums Frédéric Malle) est issu d'une composition olfactive très épicée créée pour illustrer le thème du feu dans mon premier « ballet olfactif », *Quintessence*, en 1996 à Avignon. C'est pourquoi je le verrais bien associé avec la Danse rituelle du feu de Manuel de Falla dans *L'Amour sorcier* ou au superbe ballet qui a été créé sur cette œuvre par Antonio Gades et Carlos Saura. Michel Roudnitska

La Grande Odalisque d'Ingres, qui exprime l'orientalisme, l'érotisme. On imagine cette esclave lascive porter Shalimar.
Sylvaine Delacourte

• Une œuvre d'art qui rime avec un parfum

Le Bassin aux nymphéas, de Claude Monet. Jean-Paul Guerlain

Le Bateau ivre, de Rimbaud. Isabelle Doyen

Le Nez, de Giacometti. Jean-Michel Duriez

Un mobile de Calder. Comme un parfum, cela bouge dans l'air, c'est fluide, c'est libre. Natalie Gracia-Cetto

Un tableau d'Arcimboldo, une musique de Satie, un corps de femme... François Demachy

Les sculptures de Rodin. *Le Baiser* en particulier. Jean Laporte

Le Printemps de Millet, les peintures orientalistes de Jean-Léon Gérôme, *The Lady of Shallot* de Waterhouse. Camille Goutal

La peinture abstraite et la musique. Frédéric Malle

Je ne peux pas coller un parfum sur la chapelle des Médicis, à part le sien, c'est-à-dire le marbre, l'encens et le génie de Michel-Ange. Ou peut-être — et là, je navigue — celui de Simonetta Vespucci (qui a inspiré *Le Printemps* et la Vénus de Botticelli), accompagnant l'un des frères Médicis (tous deux amoureux d'elle). Elle se parfumait à l'iris. Serge Lutens

Fumée d'ambre gris (1880), un tableau du peintre anglais John Singer Sargent, qui représente une femme marocaine sentant des fumées d'ambre et d'encens. C'est une œuvre magistrale où tout est blanc mais, pour que le sujet se détache, le blanc est traité tout en nuance. Une grande technique et une grande sensibilité à la fois. Patricia de Nicolaï

Une grande œuvre musicale. Musique et parfums ont beaucoup d'expressions communes. Jean Kerléo

Il n'existe pas encore. Le parfum n'est pas fixe. Il évolue en moi. Je ne rêve jamais en deçà, en ce qui me concerne. Le rêve, s'il existe, est moteur, il n'est pas souvenir. Serge Lutens

N° 19 de Chanel — je suis née un 19. Daniela Andrier

N° 5 de Chanel. Jacques Polge

Il y a des parfums qui me plaisent beaucoup, comme L'Heure Bleue de Guerlain. Mais je ne peux pas dire que j'aurais aimé les créer, je suis simplement content qu'ils existent. Olivier Polge

Il y en a deux. L'Eau Sauvage de Dior, car les nouvelles matières premières mises à la disposition des parfumeurs dans les années 1960 sont ici merveilleusement assemblées par M. Roudnitska et créent une parfumerie en forte évolution. Pour un Homme de Caron, qui est pour moi la première eau de toilette pour homme au monde. Comment oser mélanger, en 1934, des notes masculines (lavande, ambre) avec la vanille, typiquement féminine, alors que les hommes soit ne se parfument pas, soit utilisent des eaux de Cologne ou de lavande extrêmement discrètes ? Richard Fraysse

Eau Sauvage. Cette création a révélé une évidence. La parfumerie n'a plus été la même après. François Demachy

N° 19 de Chanel incarne pour moi une perfection à tous les niveaux, c'est l'exemple d'un « grand » parfum. L'accord vert-floral-boisé est remarquable, raffiné et sensuel à la fois. C'est le fruit de l'audace de la construction et de la qualité des constituants, qui comprennent des produits naturels excessivement onéreux — comme les racines d'iris florentin — dans des proportions très importantes. Un tel parfum serait malheureusement inconcevable de nos jours, en raison des contraintes de prix désormais imposées par les multinationales. Ces contraintes n'empêchent heureusement pas, malgré tout, de temps à autre, la sortie de parfums remarquables, comme Déclaration de Cartier et les compositions de Jean-Claude Ellena pour Hermès. Michel Roudnitska

Souvent je rêvais, quand j'étais jeune, d'avoir créé Mitsouko. J'admirais ce parfum et puis j'ai appris que c'était une copie d'un des chefs-d'œuvre (Chypre) de M. Coty, « le » nez. Vous voyez : je portais ma dévotion sur l'ombre du chef-d'œuvre. Sans commentaire : les maîtres d'œuvre ne sont pas ceux qu'on adule. Ne jamais s'y tromper. Bertrand Duchaufour

• Un parfum que vous auriez rêvé de créer

Diorissimo de Christian Dior, un monument d'esthétisme et de romantisme, à base de muguet (la fleur fétiche de M. Dior), sans muscs ni fruits ni bois, uniquement des fleurs. Ma mère, qui fut l'assistante d'Edmond Roudnistka, son créateur, à Cabris, pesa tous les essais de ce chef-d'œuvre qui est toujours intact. Jacques Cavallier

Jicky de Guerlain, annonciateur d'une nouvelle ère dans la parfumerie. Jean-Michel Duriez

J'aime trop les parfums pour n'en citer qu'un. Jean-Claude Ellena

Femme de Rochas et le premier Comme des Garçons. Camille Goutal

Pour un Homme de Caron (1934). C'est une lavande, personne n'a mieux traité le sujet qu'Ernest Daltroff, fondateur de Caron. Patricia de Nicolaï

Il y en a plein : Emeraude de Coty, le Chypre de Coty, Mitsouko de Guerlain, etc. mais surtout l'Eau Sauvage de Christian Dior. Jean Kerléo

Eau Sauvage de Dior. Un tour de force extraordinaire pour l'époque ! Jean Laporte

Mistouko. Frédéric Malle

Il y en a plusieurs : l'Eau Sauvage de Dior, Fracas de Piguet, Femme de Rochas, Vent Vert de Balmain , Coco de Chanel... Jean-Paul Guerlain

Youth Dew d'Estée Lauder. Isabelle Doyen

N°19 de Chanel. Shyamala Maisondieu

Le mien, c'est-à-dire L'Heure Bleue. Sylvaine Delacourte

L'Eau Parfumée au Thé Vert de Bulgari. Natalie Gracia-Cetto

Celui qui permettrait qu'il n'y en ait plus d'autres et qu'enfin on arrête d'en parler ! Serge Lutens

Bonne question... Frédéric Malle

Ce sera pour chacun un parfum sur mesure, fait de l'alliance de la science (prise d'empreinte génétique) et du génie créatif du parfumeur, qui saura sublimer les données scientifiques. Sylvaine Delacourte

Témoin du temps que nous vivons, le parfum de demain sera certainement à base de produits naturels, les accords seront plus expressifs qu'aujourd'hui, la qualité des matières premières étant toujours une condition indispensable à la création de belles émotions olfactives. Mais le plus important est que le parfum sera toujours un concentré d'émotions qui aidera chacun d'entre nous à se sentir beau. Jacques Cavallier

Un accord inédit. Il faut d'abord le trouver et ensuite faire en sorte qu'il résulte d'un juste équilibre entre matières premières naturelles issues du développement durable et matières premières de synthèse dites non allergisantes. Patricia de Nicolaï

Celui que je suis en train de créer pour la femme que j'aime. Jean-Paul Guerlain

Le parfum de demain réunira seulement les matières les plus pures, les plus riches et les plus naturelles mais sera toujours hédonique et abstrait. François Demachy

Sera-t-il toujours dans l'alcool ?
Y aura-t-il de nouveaux procédés pour se parfumer ?
Jean-Michel Duriez

Celui sur lequel je travaille. Jacques Polge

Il sera toujours lié aux souvenirs.
Shyamala Maisondieu

Qu'il redevienne un objet de désir. Natalie Gracia-Cetto

Un parfum de tribu. Jean Laporte

• Le parfum de demain

Un parfum qu'on transpirerait. Isabelle Doyen

Un parfum unique, que chacun sentirait différemment et qui lui évoquerait son odeur préférée. Une odeur perdue et enfin retrouvée... Camille Goutal

Celui du hasard et du temps, les grands maîtres de « petit homme »... Le hasard, parce qu'on créé toujours quelque chose de bien sans le vouloir, et le temps, parce que c'est lui le juge suprême de toute œuvre d'art. Elle reste, ou on l'oublie ! Bertrand Duchaufour

Aucune idée à ce jour, nous en reparlerons après-demain... Richard Fraysse

J'ai bien ma petite idée sur le sujet, mais je ne la dévoilerai pas car cela fait partie d'un projet important que j'espère mettre en œuvre prochainement. Le parfum du futur devra tenir compte du fait que les ressources de notre planète ne sont pas infinies et que la croissance économique telle que nous la connaissons va atteindre ses limites. Les systèmes de valeur de notre société vont être amenés à changer considérablement dans la prochaine décennie et le parfum va certainement devoir s'adapter à ces nouveaux paradigmes. Avec la nécessité de revenir à « l'essentiel » ! Michel Roudnitska

Que sera-t-il ? Nul ne le sait. Il suit la mode, les grandes tendances, il est le plus souvent le reflet d'une époque. Jean Kerléo

Celui qui nous amène le bonheur de demain. Daniela Andrier

Le parfum du vent ! Jean-Claude Ellena

Daniela Andrier

Parfumeur chez Givaudan depuis 1991. Après des études de philosophie, elle intègre l'école de parfumerie de la société à Grasse, puis devient l'assistante du parfumeur Edouard Fléchier. Elle a signé, entre autres, Emporio Armani for Women, Angélique Noire de Guerlain, **Infusion d'Iris** et Infusion d'Homme de Prada.

Jacques Cavallier

Compositeur de parfums pour la société Firmenich depuis 1990. Ce fils et petit-fils de parfumeur, né à Grasse, a débuté chez Charabot puis chez Quest. Il a notamment créé le **Classique** de Jean Paul Gaultier, Poème de Lancôme, L'Eau d'Issey d'Issey Miyake et Nu d'Yves Saint Laurent.

Sylvaine Delacourte

Directrice de la création chez Guerlain. Elle dirige la collection L'Art et la Matière, la Collection Privée et le parfum sur mesure de la Maison. Elle a travaillé comme évaluatrice sur les parfums Héritage et Petit Guerlain et a participé à la création d'Insolence et de **L'Instant**.

François Demachy

Directeur du développement olfactif chez LVMH et parfumeur-créateur chez Dior. Originaire de Grasse, où il s'est formé à l'école de parfumerie de la société Charabot, il a longtemps exercé chez Chanel, au côté de Jacques Polge. Plus récemment, il a créé Fahrenheit 32, Eau Sauvage Fraîcheur Cuir et **Escale à Portofino** de Dior.

Isabelle Doyen

Créatrice de parfums de la maison Annick Goutal, au côté de Camille Goutal. Elle a notamment créé **Ce Soir ou Jamais**, avec la fondatrice de la marque, Les Nuits d'Hadrien, Duel, Songes et Vanille Exquise.

Bertrand Duchaufour

Créateur des fragrances de L'Artisan Parfumeur. Pour la marque, il a notamment signé Méchant Loup, Dzongkha, **Timbuktu** et le dernier-né, Fleur de Liane. On lui doit également Calamus et Sequoia chez Comme des garçons, Bois d'Ombrie pour L'Eau d'Italie, et Cipresso Di Toscana chez Acqua di Parma.

Jean-Michel Duriez

Parfumeur de la maison Jean Patou. Formé à l'école Roure à Grasse, il se définit comme un *« architecte-décorateur de votre environnement immédiat et invisible »*. Il a créé, entre autres, Lacoste for Women et Yohji Homme de Yohji Yamamoto, et pour la marque Un Amour de Patou, **Enjoy** et Sira des Indes.

Jean-Claude Ellena

Parfumeur chez Hermès depuis 2004. Fils de parfumeur, originaire de Grasse, il a notamment créé pour la Maison **Terre d'Hermès**, les Parfums-Jardins (dont le dernier, Un Jardin après la Mousson) et la collection Hermessence composée aujourd'hui de sept fragrances. Auparavant, il avait signé First de Van Cleef & Arpels, Déclaration de Cartier et Eau de Campagne de Sisley.

Richard Fraysse

« Créateur-parfumeur » de la maison Caron depuis 1998. Fils et petit-fils de parfumeur (son père, André Fraysse, créa Arpège au côté de Jeanne Lanvin, son grand-père la première lavande de Yardley en 1913), il a notamment signé pour la marque **Lady Caron**, L'Anarchiste, Pour une Femme, Impact pour Homme et plus récemment Eau de Réglisse.

Camille Goutal

Directrice de la création des parfums Annick Goutal. Elle imagine et conçoit, au côté d'Isabelle Doyen, les parfums de la maison qu'a fondée sa mère en 1981. On lui doit notamment Quel Amour !, **Songes**, et les derniers-nés de la marque : Ambre Fétiche, Musc Nomade, Encens Flamboyant et Myrrhe Ardente.

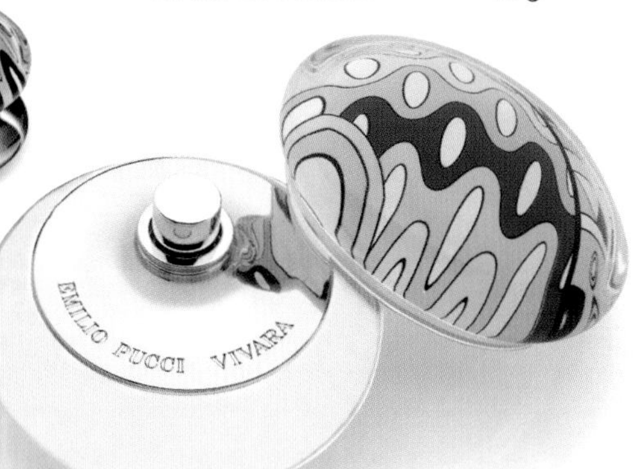

Natalie Gracia-Cetto

Parfumeur chez Givaudan depuis 1993. Originaire de Grasse, elle se forme à l'école de parfumerie de la société après un doctorat de pharmacie. Elle a notamment créé Burberry Brit, Paul Smith Story et **Vivara** de Pucci.

Jean-Paul Guerlain

Parfumeur-créateur de la maison Guerlain depuis 1958. Petit-fils de Jacques Guerlain, le créateur de L'Heure Bleue, il est également consultant en tendances olfactives pour la marque et garant de la qualité des matières premières naturelles. Il a notamment créé Vétiver, **Habit Rouge**, Chamade, Nahéma, Samsara, des Aqua Allegoria (Herba Fresca, Figue Iris...) et Spiritueuse Double Vanille dans la collection L'Art et la Matière.

Jean Kerléo

Parfumeur-créateur de la maison Patou pendant plus de trente ans. Il a notamment signé **1000**, Patou pour Homme, Sublime, Ma Liberté. Il a également refait des classiques de la marque à partir des archives de la Maison (Normandy, L'Heure Attendue, Colony...). Il est aussi l'auteur du premier Lacoste Homme en 1984. En 1990, il fonde l'Osmothèque dont il est président jusqu'en 2007.

Jean Laporte

Créateur de Jean Laporte-L'Artisan Parfumeur en 1976, une marque artisanale de parfums conçus autour de la nature et de ses grands thèmes olfactifs — **Mûre et Musc**, La Haie Fleurie du Hameau, L'Eau du Navigateur... En 1989, Jean Laporte lance Maître Parfumeur et Gantier, une maison qui ressuscite la tradition des gants parfumés, et crée, entre autres, Rose Muskissime, Route du Vétiver et Or des Indes.

Serge Lutens

Conçoit les parfums des Salons du Palais-Royal - Shiseido. Après avoir initié le maquillage Christian Dior, en 1968, il devient le responsable de l'image de Shiseido en Europe en 1980. En 1992, il bouleverse les règles de la parfumerie avec Féminité du Bois. En 2000, Serge Lutens devient une marque à part entière. Il a notamment créé Ambre Sultan, Cuir Mauresque, Fleurs d'Oranger, Sa Majesté la Rose, Chergui, Arabie et **Serge Noire**.

Shyamala Maisondieu

Parfumeur chez Givaudan depuis 2006.
Née en Malaisie, elle obtient un diplôme de chimie en Angleterre avant de devenir évaluatrice chez Givaudan à Hong-Kong. Elle intègre ensuite l'école de parfumerie de la société à Grasse. Elle a notamment composé **Charogne** pour Etat Libre d'Orange, H&M Comme des Garçons et Passenger pour Homme de S.T. Dupont.

Frédéric Malle

Editeur de parfums. Petit-fils de Serge Heftler, le cofondateur des parfums Dior, il a appris les secrets de son métier de « critique olfactif » au sein du laboratoire de création Roure Bertrand Dupont. Pour ses Editions de Parfums créées en 2000, de grands auteurs (Pierre Bourdon, Maurice Roucel, Jean-Claude Ellena, Olivia Giacobetti...) ont signé les Iris Poudre, **Musc Ravageur**, L'Eau d'Hiver, En Passant... parmi les *« parfums sans compromis »* de sa marque.

Patricia de Nicolaï

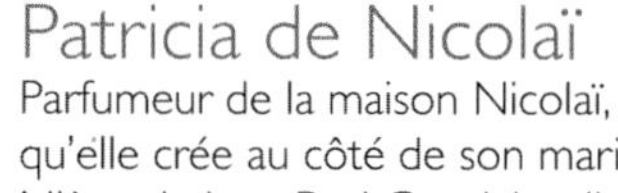

Parfumeur de la maison Nicolaï, qu'elle crée au côté de son mari en 1989. Nièce de Jean-Paul Guerlain, elle est la première femme à avoir reçu, en 1988, le Prix international du meilleur parfumeur-créateur. Elle a notamment créé **Number One**, Sacrebleu !, Le Temps d'une Fête et Eau Turquoise.

Jacques Polge

Parfumeur de la maison Chanel depuis trente ans. Sa première création pour la marque (Antaeus en 1981) est suivie de Coco, Egoïste, Egoïste Platinum, Allure, Coco Mademoiselle, Chance, **Allure Homme**, et les parfums de la série Les Exclusifs (N° 18, Bel Respiro, Sycomore...).

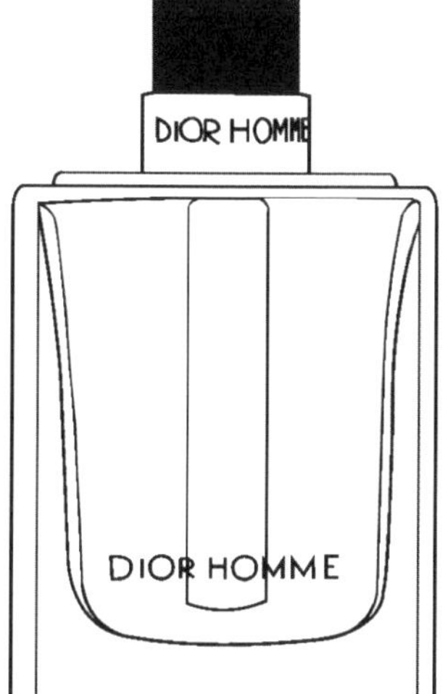

Olivier Polge

Parfumeur chez IFF depuis 1998. Formé à Grasse, fils du parfumeur Jacques Polge, il a notamment créé Cuir Beluga de Guerlain, **Dior Homme**, Eau Parfumée au Thé Rouge de Bulgari, Flowerbomb de Viktor & Rolf, Pure Poison de Dior et Kenzopower de Kenzo.

Michel Roudnitska

Compositeur de parfums et directeur de la société Art et Parfum, fondée par son père, le parfumeur Edmond Roudnitska. Egalement photographe, il conçoit des spectacles multisensoriels mêlant parfums, vidéos et chorégraphies. Il a notamment créé **Noir Epices** aux Editions de Parfums Frédéric Malle, et Bois de Paradis et Debut chez les Parfums DelRae.

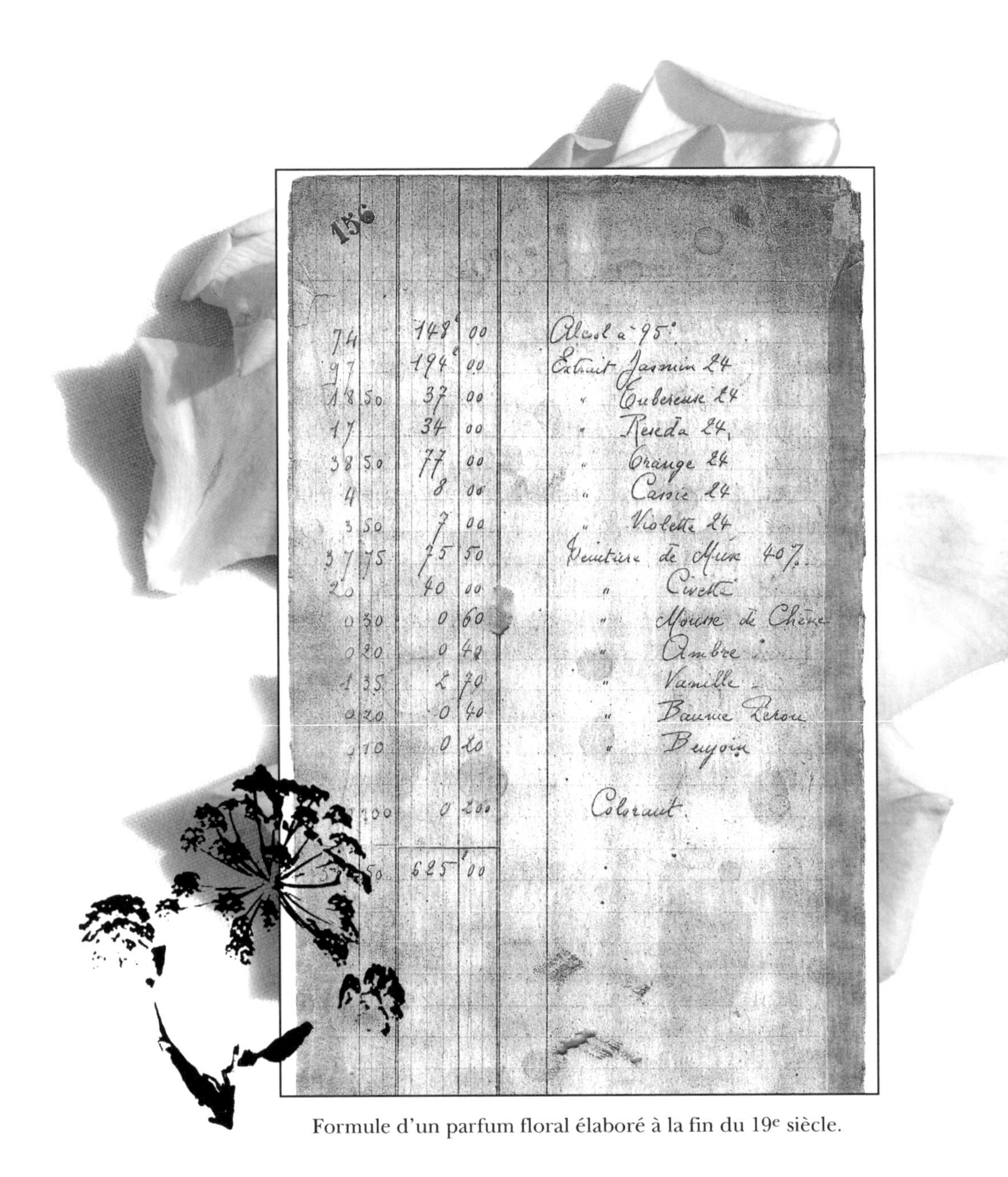

156

74		148	00	Alcool à 95°
97		194	00	Extrait Jasmin 24
18	50	37	00	" Tubereuse 24
17		34	00	" Reseda 24
38	50	77	00	" Orange 24
4		8	00	" Cassie 24
3	50	7	00	" Violette 24
37	75	75	50	Teinture de Musc 40%
20		40	00	" Civette
0	30	0	60	" Mousse de Chêne
0	20	0	40	" Ambre
1	35	2	70	" Vanille
0	20	0	40	" Baume Pérou
0	10	0	20	" Benjoin
0	100	0	200	Colorant
[illegible]	50	625	00	

Formule d'un parfum floral élaboré à la fin du 19e siècle.

Esprits subtils

Un parfum suave, une bonne odeur... A l'égal d'une céleste musique, d'une soierie délicate, d'une harmonie idéale de couleurs, ou encore d'un goût délectable. Mais dans les sens aussi il y a une hiérarchie à respecter. Ainsi, on doit reconnaître que la langue est plus lourde, râpeuse et grossière que l'oreille et le nez, dont les manières de percevoir sont invisibles, dégagées de toute pesanteur. Comme la main, moins prompte à caresser qu'à saisir, la langue, souvent fielleuse ou obscène, s'accorde toutes les licences. Parfois même, elle dépasse la pensée, fait entendre des mots incohérents, fiévreux. Ce qui reflue alors dans la gorge n'est plus parole, mais râle. Quant à l'œil, organe presque involontaire de l'impudeur, ce n'est pas la beauté, hélas, qui le fait d'abord s'ouvrir. Dieu n'a pas fermé le corps sur lui-même. Il ne l'a pas voulu hermétiquement couvert de peau. Pour le meilleur et pour le pire, il l'a au contraire doté d'ouvertures, l'a fait pénétrable. Grâce à ces percées, à ces passages, Dieu a formé le corps pour l'accueil, l'a doué pour le bonheur et la jouissance. Pour la souffrance aussi. Et de ce bonheur, il n'a pas verrouillé le compte, n'a pas limité par avance l'infinie variabilité de la jouissance. A ce même corps périssable, il a fait mission, de multiples façons, de percevoir, de recevoir, de connaître et reconnaître. Ainsi, il n'a pas considéré que le plus haut état de perfection était dans le non-ressentir, le non-pâtir, le non-jouir.

A l'acmé, à l'instant le plus intense de cette perception-réception, la parole, provisoirement, très provisoirement, est suspendue. L'ivresse fait vaciller le langage que la jouissance a sidéré. Puis, très vite, il retrouve ses droits : organe de la conscience, il vient commenter, prolonger la jouissance. Le jouisseur, alors, retrouve ses esprits.

Des esprits, ces corps subtils, ces parfums vitaux, parlons-en justement. Montaigne, au début de sa réflexion sur les senteurs (*Les Essais*, livre I, chapitre LV), rappelle que la sueur d'Alexandre, selon les anciens, *« épandait une odeur suave par quelque rare et extraordinaire complexion »*. Mais aussitôt il ajoute que la *« commune façon des corps est au contraire : et la meilleure condition qu'ils ayent, c'est d'être exempt de senteurs »*. Le parfum est donc un signe de distinction, et son absence, sa neutralisation, la condition commune. Dans la mystique chrétienne, on désigne par l'expression « odeur de sainteté » l'agréable fragrance que dégagent parfois certains cadavres, cette bonne odeur constituant une valeur indicative de la sainteté que la personne avait atteinte au moment de sa mort. De même, dans le *Cantique des cantiques*, la Fiancée est comparée (IV,12-15) à un *« jardin bien clos »*, empli des *« plus fins arômes »*. Enfin, saint Paul, dans la *Seconde Epître aux Corinthiens* (II, 14-16), parle du Christ répandant *« en tous lieux le parfum de sa connaissance »*. Dans la hiérarchie des sens, il est donc légitime de placer celui qui nous occupe au plus haut.

Patrick Kéchichian est journaliste et critique littéraire au *Monde*, écrivain.
Dernier ouvrage paru : *Des princes et des principautés*. Seuil, 2006.

1927

Arpège de Lanvin

Pour le 30e anniversaire de sa fille, la couturière Jeanne Lanvin souhaite lui offrir une senteur subtile. Elle demande au parfumeur André Fraysse (au côté de Paul Vacher) de lui composer un *« chef-d'œuvre exceptionnel et éternel »*: 62 ingrédients, dont la rose bulgare et le jasmin de Grasse, autour desquels se mêlent seringa, muguet, chèvrefeuille, sur un fond de bois, d'ambre et de vanille. La jeune fille, qui est musicienne, se serait écriée : *« On dirait un arpège ! »* Dès 1925, Lanvin s'était essayé à la création de parfums. En deux ans, 14 jus avaient été lancés (dont My Sin, «mon péché »). Suivront Scandal (1933, sans « e » pour franchir plus allègrement les frontières), Rumeur (1934), Prétexte (1937)... Et, plus récemment : Monsieur Lanvin (1964), Clair de Jour (1983), Oxygène (2000), Eclat d'Arpège (2002), Jeanne Lanvin (2008).

Canoë de Dana

En 1932, l'Espagnol Javier Serra crée la maison de parfums Dana, du nom de la nymphe qui prenait soin des champs de fleurs de la Méditerranée et d'une île polynésienne riche en fleurs odorantes. Il demande à Jean Carles (chef parfumeur de Roure, à Grasse, également auteur de Miss Dior en 1947) de lui signer un parfum provocant et sensuel, Tabu (une harmonie patchouli-œillet, sur un accord ambré, éclairé de basilic et de fleur d'oranger). En 1935 sort Canoë, une des rares compositions de la famille fougère pour femme (une création de Jean Carles également) ! Son départ aromatique (lavande, sauge sclarée) fait vibrer une facette fleurie par l'œillet et le jasmin, qui s'alanguit sur des notes douces (vanille, héliotrope, coumarine).

1944 *Femme* de Rochas

Marcel Rochas invente le bustier en 1943 et la guêpière en 1945. Entre-temps, il lance Femme, signé Edmond Roudnitska, le parfumeur qui créera Eau Sauvage pour Dior vingt ans après ! Un parfum conçu pour marquer la renaissance de la haute couture française. Arletty est parmi les premières à porter ce chypre fruité, construit sur un accord pêche-prune autour de la rose et du jasmin, sur un fond de bois, de mousse de chêne et de notes épicées et animales. Le flacon original, en cristal signé Marc Lalique, évoque la silhouette de l'actrice Mae West, cliente du couturier. Avenue Matignon, le premier parfum Rochas, a été lancé en 1936 (l'année où Patou créé Vacances pour célébrer les premiers congés payés) en même temps qu'Audace et Air Jeune. Suivront notamment Madame Rochas (1960) et Monsieur Rochas (1969). Puis Eau de Rochas (1970), Byzance (1987), Tocade (1994), Alchimie (1998), Aquawoman (2002).

1948

L'Air du Temps de Nina Ricci

Un des plus grands succès de la parfumerie !
Pour L'Air du Temps, Robert Ricci (le fils de la modéliste Nina Ricci, avec qui il fonde la maison en 1932) veut une fragrance féminine, fraîche et naturelle destinée aux séductrices insouciantes. Ce bouquet floral très épicé (rose, jasmin, œillet, clou de girofle), créé par Francis Fabron, est l'un des premiers parfums à contenir un gros pourcentage de musc cétone, un musc de synthèse très animal. Les campagnes publicitaires de ce classique ont été successivement orchestrées par David Hamilton, Dominique Issermann et Jean-Baptiste Mondino.
Parmi les parfums qui suivront : Capricci (1961), Nina (1987), Deci-delà (1994), Les Belles de Ricci (dès 1996), Premier Jour (2001), Love in Paris (2004), Nina (2006).

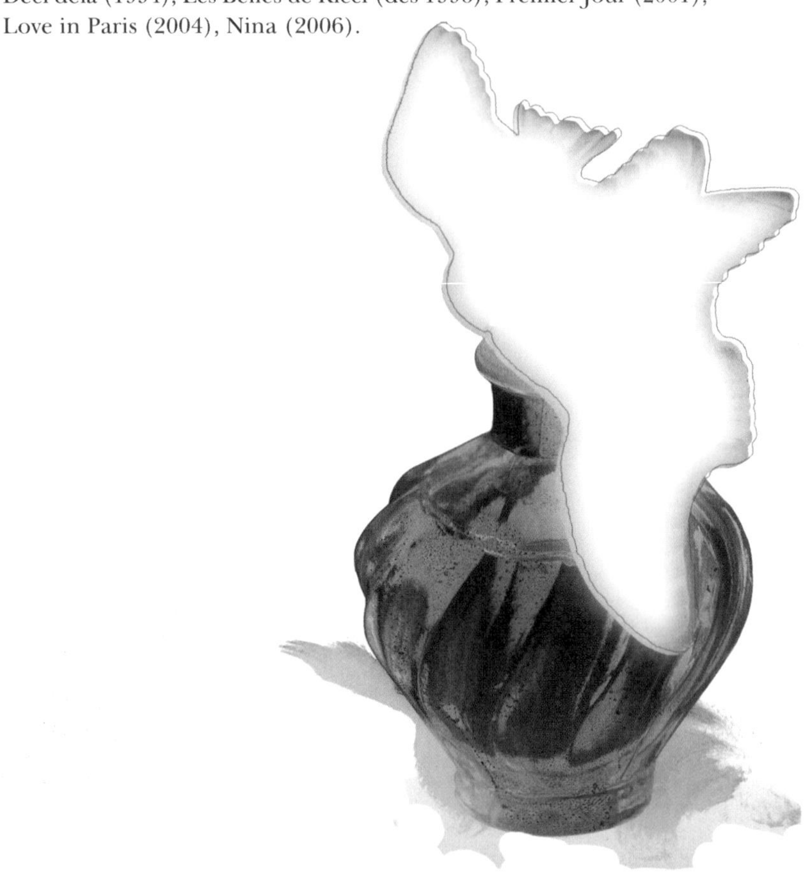

1977

Opium d'Yves Saint Laurent

En 1976, Yves Saint Laurent annonce qu'il *« souhaite créer un parfum pour l'impératrice de Chine »*. Il fait appel au parfumeur Jean-Louis Sieuzac pour élaborer son rêve d'Orient, un *« parfum de dépendance »* promettant mystère et volupté. Opium, cet oriental chaleureux, très inspiré de Youth Dew d'Estée Lauder, mêle les bois odorants, les épices, les fleurs douces (rose et jasmin Sambac), la myrrhe et la vanille, autour d'une note œillet presque confite... En 1964, trois ans après sa création par Yves Saint Laurent et Pierre Bergé, la maison de couture lance son premier parfum, Y, un chypre fruité. Suivra Rive Gauche, en 1971, un fleuri très aldéhydé. En 1981, six ans après la fougère YSL pour Homme — dont le couturier incarne l'image en posant nu devant l'objectif du photographe Jeanloup Sieff —, la marque lance un autre masculin, Kouros, un chypre aromatique. En 1984, Yves Saint Laurent inaugure sa collection de couture sur le thème de son parfum, Paris, un bouquet de roses de Bulgarie qui se poudre d'une note violette crémeuse. Et depuis, entre autres : Jazz (1988), In Love Again (1998), Baby Doll (1999), M7 (2002, le 7e jus masculin de la marque), Cinéma (2004, pour le lancement duquel la marque a choisi un flip-book, livre animé qui révèle en 40 feuillets le flacon dans une rotation à 360°), Elle (2008).

Anaïs Anaïs de Cacharel

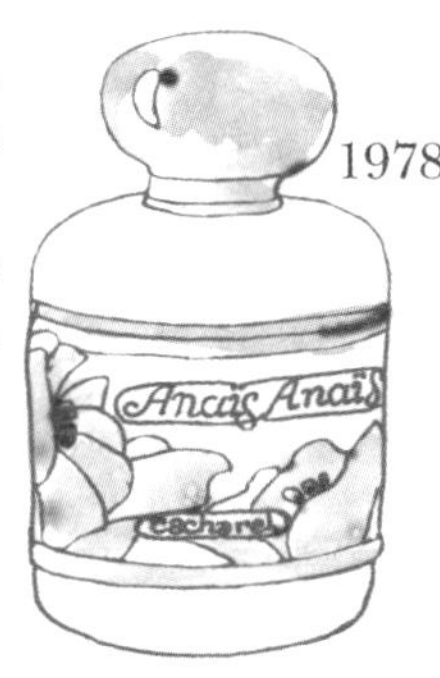

1978

Une fragrance de jeune fille (d'abord vendue en grande distribution, à un prix bien inférieur à celui des parfums classiques) qui a marqué son temps. Et le premier parfum marketing — jamais auparavant un parfum ne s'était appuyé sur une ligne de prêt-à-porter. Quinze ans après avoir présenté sa première collection à Paris, Jean Bousquet, le fondateur de Cacharel, lance un parfum tout en contraste, à la fois frais et suave, construit autour de l'idée du lys, fleur virginale et voluptueuse. Il confie l'image de ce jus de fleurs blanches à la photographe Sarah Moon, qui met en scène la femme aux deux visages symbolisant la dualité de la fragrance : notes vertes en tête (jacinthe, galbanum), mais cœur sensuel (jasmin, néroli, rose) et fond délicatement boisé. Et aussi : Pour l'Homme (1981), Loulou (1987), Eden (1994), Noa (1998), Nemo (1999), Amor Amor (2003), Promesse (2005) et Liberté (2007)...

1984

Heure Exquise d'Annick Goutal

Avec Heure Exquise, où l'iris de Florence magnifie la rose de Turquie sur un fond de santal de Mysore et un soupçon de vanille, Annick Goutal signe un délicieux fleuri poudré, un des fleurons de sa marque. Cette ancienne pianiste ouvre sa première boutique en 1980 à Paris. Après s'être formée auprès d'un parfumeur grassois, elle lance treize parfums en cinq ans — au côté des créatrices Monique Schlienger puis Isabelle Doyen — évoquant les émotions que lui procurent ses promenades et ses lectures : Folavril, le premier, en 1981, suivi, la même année, de l'hespéridé Eau d'Hadrien qui s'inspire des *Mémoires d'Hadrien*, de Marguerite Yourcenar. Puis l'Eau du Ciel et Sables (1985), Grand Amour (1997), et le dernier, Ce soir ou Jamais (1999)... Devenue directrice artistique de la marque, sa fille, Camille Goutal, poursuit la création au côté de la parfumeuse Isabelle Doyen : Quel Amour ! (2002), Songes (2005)..., et les derniers-nés de la collection Les Orientalistes, autour du thème des rois mages : Ambre Fétiche, Encens Flamboyant, Myrrhe Ardente.

1986

Eau Lente de Diptyque

Le critique Luca Turin, dans son *Guide des parfums* (1994), juge Eau lente *« impeccable »* dans *« son équilibre suave et bitumineux »*. Epicé et poudré par les baumes, les bois et les résines, ce parfum évoque les braseros où se consumaient des résines d'opoponax que les serviteurs d'Alexandre le Grand disposaient sous le linge de leur maître. Les fragrances de Diptyque s'inspirent ainsi des recettes du passé et des senteurs du monde méditerranéen. Fondé en 1961, Diptyque démarre à Paris, boulevard Saint-Germain, avec des tissus d'ameublement dessinés par les propriétaires, issus du monde de l'art et de la décoration. En 1963, la maison sort sa première gamme de bougies parfumées (dont celle au Thé, une fragrance inédite à l'époque). L'Eau de Diptyque, la première eau de toilette de la marque (1968), s'inspire d'une recette de pot-pourri du 16e siècle, aux notes mêlées de zestes et de rose, de santal et d'épices. Philosykos (1996) évoque l'odeur des figuiers et des cèdres sous le soleil d'un été grec. Pour les quarante ans de L'Eau, Diptyque vient de sortir trois sillages qui lui rendent hommage, hespéridé (L'Eau des Hespérides), fleuri (L'Eau de Néroli) et épicé (L'Eau de l'Eau).

Ambre Sultan

1993 des Salons du Palais-Royal - Shiseido

« Ce ne sont pas mes parfums qui sont intéressants, c'est ce qu'ils vous rappellent », confie Serge Lutens au *Monde* en 1998. L'oriental Ambre Sultan, qui mêle tolu, patchouli, santal et coriandre, appartient à la famille des Somptueux, aux côtés de Cuir Mauresque et Muscs Koublaï Khan. Une composition qui *« efface, comme aux temps anciens, la frontière entre arômes et remèdes. A porter comme une fumée dont on serait la braise »*, préconise Luca Turin dans son *Guide des parfums*. Les parfums que conçoit Serge Lutens pour la marque japonaise Shiseido sont composés autour de senteurs inspirées de l'Orient, autant de voyages imaginaires au pays des *Mille et Une Nuits* : le cèdre est de tous les jus, mais aussi la rose marocaine, la fleur d'oranger, la myrrhe, l'encens, l'ambre, le cuir, les muscs et les épices. Parmi toutes les merveilles de ses collections, on retiendra Chergui, un hommage au vent auquel on attribue la qualité de se charger des effluves qu'il traverse, La Myrrhe, Tubéreuse Criminelle et Bornéo 1834. C'est en créant maquillage, coiffure et bijoux pour *Vogue* Paris que Serge Lutens a fait son entrée dans la mode dans les années 1960. Il collabore ensuite avec la marque Christian Dior, dont il crée les lignes de maquillage dans les années 1970. Ses mises en scènes à la fois pures et sophistiquées le conduisent à devenir, en 1980, directeur artistique de Shiseido. En 1992, il lance Féminité du Bois, le premier boisé féminin. La même année il conçoit les Salons du Palais-Royal - Shiseido, un boudoir poétique dans lequel cosmétiques et parfums sont mis en scène et vendus en exclusivité.

Méchant Loup de L'Artisan Parfumeur

1997 Créé en 1976 par le parfumeur Jean Laporte (qui fondera plus tard la maison Maître Parfumeur et Gantier, ressuscitant la tradition des gants parfumés), L'Artisan Parfumeur est le premier à renouer avec une distribution de parfums artisanaux dans des boutiques exclusivement dédiées à la marque. Une enseigne qui a depuis pris le parti d'explorer tous azimuts de nouveaux territoires olfactifs en respectant des valeurs traditionnelles de la belle parfumerie. Tous les jus sont construits comme de véritables spectacles mettant en scène des odeurs de nature (La Haie Fleurie du Hameau, La Chasse aux Papillons). Le premier d'entre eux, Mûre et Musc (*« un parfum fédérateur, qui plaît à la jeune fille de 15 ans comme à la femme de 60 »* selon les mots de Jean Laporte), et Premier Figuier ont initié de nouvelles tendances dans l'utilisation en parfumerie des notes fruitées et boisées. Dans Méchant Loup, une des nombreuses compositions du parfumeur Bertrand Duchaufour pour la marque, tous les bois de la forêt — cèdre, bois de gaïac, patchouli, santal, mousse de chêne — habillent des notes gourmandes (miel, réglisse, noisette) et épicées (poivre, piment, Calamus). Les Petits Chaperons Rouges n'ont pas fini de succomber...

2008
Ambre Narguilé
d'Hermès *(collection Hermessence)*

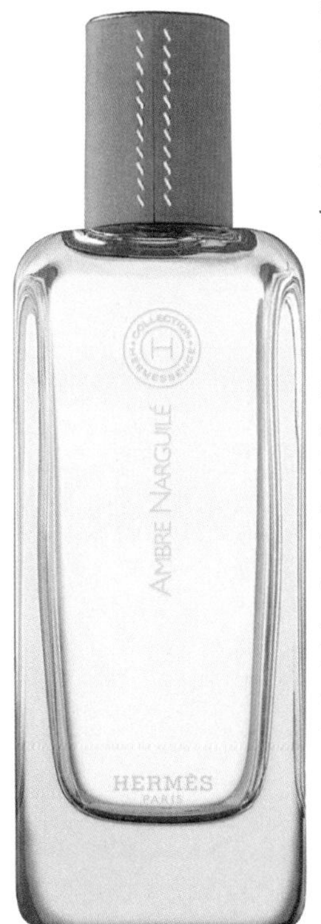

Ambre Narguilé, *« une douce griserie »* selon les mots de son créateur Jean-Claude Ellena. Une belle réussite de la collection Hermessence (7 jus d'exception conçus comme des *« poèmes olfactifs »* et vendus exclusivement dans les magasins Hermès). Il s'inspire des senteurs savoureuses du narguilé et mêle le miel d'ambre fruité aux volutes de fumée d'un tabac blond.
En 2004, le créateur de l'Eau parfumée au Thé Vert de Bulgari intègre la prestigieuse maison qui s'attribue pour la première fois un parfumeur exclusif. Pour elle, Jean-Claude Ellena compose la série des Parfums-Jardins (en Méditerranée, sur le Nil, après la Mousson), des jus aux formules courtes fruités, boisés ou épicés, le majestueux Terre d'Hermès (2006), masculin minéral et boisé, et Kelly Calèche (2007), clin d'œil à deux références mythiques de la maison.
Hermès avait déjà quelques joyaux à son enseigne : l'Eau d'Hermès (1951), fut le tout premier parfum de cette marque (signé Edmond Roudnitska) créée en 1927 par Thierry Hermès, artisan-harnacheur qui avait rapidement lancé portefeuilles et sacs à main, puis ganterie et couture. Viennent ensuite le chypre Calèche (1961), l'aromatique Equipage (1970), premier masculin de la marque, le rafraîchissant Eau d'Orange Verte (1979), construit autour des agrumes, du bois et de la menthe, le printanier Amazone (1974), qui s'inspire des cavalières mythiques, le voluptueux Parfum d'Hermès (1984), réinterprété sous le nom de Rouge en 2000 et l'ensoleillé 24 Faubourg (1995), où ambre et vanille tempèrent un cœur floral et boisé rayonnant.

Effluves, histoires et souvenirs

Derniers coups de foudre ou vieilles connaissances, certains parfums méritent qu'on les raconte comme s'ils étaient des *« personnages invisibles »* qu'on aurait rencontrés — des *« anges »*, dit le critique de parfums Luca Turin. Parfois, les sentir à nouveau fait surgir en un instant tout un monde enfoui dans lequel nous n'étions ni tout à fait nous-mêmes ni tout à fait un autre...

Nom :

Marque :

Année de création :

•• Circonstances de la rencontre :

•• Sur ma peau, ça sent :

•• Premières impressions :

•• Quand je le porte, je ressemble à… :

•• — **Rencontre durable** ou **coup de foudre sans lendemain ?** •• —

Un air de famille…

Hespéridée
Fleurie
Boisée
Cuir
Fougère
Chypre
Orientale

Et des notes…

Hespéridées
Aromatiques
Marines
Vertes
Aldéhydées
Fleuries
Fruitées
Epicées
Boisées
Cuirées
Gourmandes
Poudrées
Musquées
Orientales

Nom :

Marque :

Année de création :

•• Circonstances de la rencontre :

•• Sur ma peau, ça sent :

•• Premières impressions :

•• Quand je le porte, je ressemble à… :

•• — **Rencontre durable** ou **coup de foudre sans lendemain ?** •• —

Un air de famille…

Hespéridée
Fleurie
Boisée
Cuir
Fougère
Chypre
Orientale

Et des notes…

Hespéridées
Aromatiques
Marines
Vertes
Aldéhydées
Fleuries
Fruitées
Epicées
Boisées
Cuirées
Gourmandes
Poudrées
Musquées
Orientales

Nom :

Marque :

Année de création :

Circonstances de la rencontre :

Sur ma peau, ça sent :

Premières impressions :

Quand je le porte, je ressemble à… :

Rencontre durable ou **coup de foudre sans lendemain ?**

Un air de famille…

Hespéridée
Fleurie
Boisée
Cuir
Fougère
Chypre
Orientale

Et des notes…

Hespéridées	Epicées
Aromatiques	Boisées
Marines	Cuirées
Vertes	Gourmandes
Aldéhydées	Poudrées
Fleuries	Musquées
Fruitées	Orientales

Nom :

Marque :

Année de création :

•• Circonstances de la rencontre :

•• Sur ma peau, ça sent :

•• Premières impressions :

•• Quand je le porte, je ressemble à… :

•• — **Rencontre durable** ou **coup de foudre sans lendemain ?** •• —

Un air de famille…

Hespéridée
Fleurie
Boisée
Cuir
Fougère
Chypre
Orientale

Et des notes…

Hespéridées	Epicées
Aromatiques	Boisées
Marines	Cuirées
Vertes	Gourmandes
Aldéhydées	Poudrées
Fleuries	Musquées
Fruitées	Orientales

Nom :

Marque :

Année de création :

•• Circonstances de la rencontre :

•• Sur ma peau, ça sent :

•• Premières impressions :

•• Quand je le porte, je ressemble à... :

•• — **Rencontre durable** ou **coup de foudre sans lendemain ?** •• —

Un air de famille...

Hespéridée
Fleurie
Boisée
Cuir
Fougère
Chypre
Orientale

Et des notes...

Hespéridées
Aromatiques
Marines
Vertes
Aldéhydées
Fleuries
Fruitées
Epicées
Boisées
Cuirées
Gourmandes
Poudrées
Musquées
Orientales

Nom :

Marque :

Année de création :

Circonstances de la rencontre :

Sur ma peau, ça sent :

Premières impressions :

Quand je le porte, je ressemble à… :

Rencontre durable ou **coup de foudre sans lendemain ?**

Un air de famille…

Hespéridée
Fleurie
Boisée
Cuir
Fougère
Chypre
Orientale

Et des notes…

Hespéridées
Aromatiques
Marines
Vertes
Aldéhydées
Fleuries
Fruitées
Epicées
Boisées
Cuirées
Gourmandes
Poudrées
Musquées
Orientales

Les mots pour le dire

- Etre au parfum
- Mettre quelqu'un au parfum
- Avoir quelqu'un dans le nez
- Fourrer son nez
- Se piquer le nez *(s'enivrer)*
- Avoir du nez
- Faire un pied de nez
- Mener quelqu'un par le bout du nez
- Piquer du nez
- Ne pas mettre le nez dehors
- Ne pas voir plus loin que le bout de son nez
- Faire de son nez *(prendre un air prétentieux,* belgicisme)
- Faire un drôle de nez *(une moue de dépit)*
- Agir au nez et à la barbe de quelqu'un

D'AUTRES MOTS POUR UN PARFUM

Un effluve, un arôme, une fragrance, une émanation, un sillage, une composition, une senteur, une odeur, une exhalaison, un sent-bon, un absolu, une essence, un baume, une pommade, un onguent, une concrète, une huile, un extrait, un philtre, une eau, un jus, un voile parfumé, une brume, un nectar, un élixir...

UN PARFUM PEUT ÊTRE...

Voluptueux, énergisant, doux, sensuel, souple, moelleux, distingué, vivifiant, torride, malicieux, acidulé, frais, irisé, espiègle, racé, velouté, ensoleillé, exubérant, joyeux, intense, exotique, confortable, troublant, audacieux, chic, gourmand, désaltérant, velouté, élégant, capiteux, facetté, chaud, fusant, puissant, pudique, percutant, impertinent, savoureux, dense, montant, corsé, innocent, excentrique, tonique, rayonnant, subtil, entêtant, magnétique, irrésistible, onctueux, dynamique, équilibré, charnel, épuré, intriguant, insolent, chaleureux, animal, sophistiqué, gai, rond, léger, pétillant, enveloppant, stimulant, profond, éclatant, suave, enivrant, crémeux, allègre, transparent, riche, délicat, lumineux, raffiné, enchanteur, flamboyant, précieux, soyeux...

...ET AVOIR...

De la vigueur *(de la consistance)*, du volume *(il se développe bien)*, du sillage *(un bon pouvoir diffusant)*, du relief *(de nombreuses facettes)*, de la persistance *(un sillage durable)*, du caractère *(on le reconnaît et on le mémorise facilement)*...

Bois Dormant, d'Houbigant

Crêpe de Chine, de Millot

Les parfums de ma vie

Zibeline, de Weil

Peau d'Espagne, d'Houbigant

Rumeur, de Lanvin

Prétexte, de Lanvin
Quiproquos, de Grès
Sous le Vent, de Guerlain

Mon premier souvenir de parfum

Sacrebleu !, de Patricia de Nicolaï
Toujours Moi, de Corday
Cœur Joie, de Nina Ricci
Après l'Ondée, de Guerlain
L'Eau du Ciel, d'Annick Goutal
Sirocco, de Lucien Lelong

Vent Vert, de Balmain

Mon premier parfum

Panthère, de Cartier
Antilope, de Weil

En Avion, de Caron

Vol de Nuit, de Guerlain

Le parfum de mes 20 ans

Pompeia, de Piver

Nuit de Chine, Parfums de Rosine

Fidji, de Guy Laroche

Le parfum de ma mère

New York, de Patricia de Nicolaï

Bellodgia, de Caron

Amérique, de Courrèges

Venise, d'Yves Rocher

Roma, de Laura Biagiotti

Byzance, de Rochas

Jaïpur, de Boucheron

Timbuktu, de l'Artisan Parfumeur

Birmane, de Van Cleef & Arpels

Heure Intime, Parfums Vigny
Heure Exquise, d'Annick Goutal

Le parfum de ceux que j'aime

L'Heure Attendue, de Jean Patou
L'Air du Temps, de Nina Ricci

French Cancan, de Caron
Chasse Gardée, de Carven

Emeraude, de Coty
Quartz, de Molyneux
Gem, de Van Cleef & Arpels
Trésor, de Lancôme

Clair de Jour, de Lanvin

Tabac Blond, de Caron *Opium, d'Yves Saint Laurent*
Poison, de Christian Dior *Cocaina, de Perfumeria Parera*

Chamade, de Guerlain *Petite Chérie, d'Annick Goutal*
Grand Amour, d'Annick Goutal

Yvresse, d'Yves Saint Laurent
Ginn Fizz, de Lubin *Tropical Punch, d'Escada*

Féminité du Bois, de Shiseido
Boudoir, de Vivienne Westwood

Mes parfums préférés

Hot Couture, de Givenchy
Ame Coquine, de Chantal Thomass
Farouche, de Nina Ricci

Clandestine, de Guy Laroche
Scandal, de Lanvin
Guet-apens, de Guerlain
Huis-clos, de Rival
Sa Chambre, de Parfums de Rosine

Divine Folie, de Jean Patou
Insensé, de Givenchy
Tocade, de Rochas
Tentations, de Paloma Picasso

Adieu Sagesse, de Jean Patou
Folavril, d'Annick Goutal

J'ai Osé, de Guy Laroche

Coup de Foudre, de Parfums de Rosine   Le Baiser, de Lalique

Mystère, de Rochas   Imprévu, de Coty

Mes derniers coups de cœur

Miracle, de Lancôme   Jour de Fête, de L'Artisan Parfumeur

Carnet de Bal, de Révillon   Bal à Versailles, de Jean Desprez

Fête, de Molyneux   Nuit de Noël, de Caron   Nuit Enchantée, de Biette

Hypnose, de Lancôme   Magie et Magie Noire, de Lancôme

Sortilège, de Le Galion

Le parfum de A à Z

Absolu (ou absolue)
Concrète débarrassée des cires végétales, obtenue par le traitement aux solvants volatils de végétaux frais (fleurs, feuilles...).

Accord
Effet obtenu en mélangeant deux ou trois matières premières, ou notes simples. On parle d'accord harmonieux lorsque les proportions et l'intensité olfactive de chacune d'elles sont équilibrées.

Base (ou reproduction)
Composition caractérisée par son odeur simple, résultant de plusieurs matières premières. Elle constitue un élément précomposé que le « nez » emploie dans sa formule comme matière première à part entière.

Concrète
Produit solide ou semi-solide obtenu après extraction des principes odorants de certaines matières premières d'origine végétale (telles que le jasmin, la rose, le narcisse, la mousse de chêne) par des solvants volatils (comme l'hexane).

Compositeur
Terme utilisé pour désigner celui qui crée des accords olfactifs (le parfumeur-créateur). On appelle composition le mélange terminé d'un ensemble de produits, naturels, synthétiques et bases.

Concentré
Désigne la composition telle qu'elle se présente à l'issue du travail de préparation (pesée des différents produits définis dans la formule établie par le parfumeur-créateur). Les concentrés, suivant leur destination, sont ensuite incorporés à de l'alcool : fabrication des extraits, des eaux de toilette, etc. ou à tout autre produit de beauté et de toilette.

Départ
Envolée, note de tête. Première impression olfactive perçue lors de l'utilisation d'un produit alcoolique parfumé, due au caractère volatil de certaines matières premières qui le composent.

Distillation
Technique qui consiste à entraîner à la vapeur d'eau pour recueillir les éléments odorants, huiles essentielles, contenues dans certaines matières premières naturelles.

Dominante
C'est la note la plus perceptible du point de vue olfactif dans une composition.

Enfleurage
Méthode ancienne d'extraction à froid des produits floraux, mise au point à Grasse, utilisant la propriété qu'ont certaines graisses d'absorber et de retenir les principes odorants. Ces graisses parfumées, ou pommades, sont ensuite lavées à l'alcool pour donner les absolus de pommade.

Expression
Technique d'extraction de certaines huiles essentielles, principalement des zestes d'agrumes, faisant appel à des moyens mécaniques tels que la pression à froid...

Gamme
Organisation thématique des odeurs par rapport à un concept olfactif de référence. Désigne aussi l'ensemble des matières premières dont dispose un parfumeur.

Huile essentielle
(ou essence)
Désigne le produit aromatique et volatil extrait des végétaux, soit par distillation, soit par expression.

Matière première
Constituant élémentaire d'une formule de parfumerie.

Note
C'est la caractéristique de l'odeur d'une matière première ou d'une composition.

Orgue à parfums
Meuble de rangement des différentes matières premières odorantes.

Palette
Ensemble de matières premières privilégiées par un parfumeur-créateur.

Pyramide olfactive
Structure permettant la description complète d'un parfum suivant les notes de tête, de cœur et de fond.

Reproduction
Composition recréant naïvement l'odeur d'une matière première.

Résinoïde
Produit résineux obtenu par le traitement aux solvants volatils de végétaux secs, comme les gommes, les baumes, les résines.

Thème
Accord principal autour duquel le parfumeur développe son idée créatrice.

Zeste
Ecorce des fruits de la famille des agrumes, contenant l'essence utilisée en parfumerie.

Lectures pour mieux sentir

Jean-Luc Ansel. *Les Arbres parfumeurs,* (préface de Jean-Paul Guerlain). Ed. Eyrolles, 2003.

Elisabeth Barillé. *Coty, parfumeur et visionnaire,* (photographies de Keiichi Tahara), Assouline, 1995.

Nicolas de Barry, Maïté Turonnet, Georges Vindry. *L'ABCdaire du parfum,* Flammarion, 1998.

Brigitte Bourny-Romagné. *Secrets de plantes à parfum* (illustrations de Dominique Silberstein). Ed. Milan, 2003.

Chandler Burr. *L'homme qui entend les parfums. L'étonnante redécouverte de Luca Turin,* Ed. Autrement, 2004.

Thierry Cardot. *Parfums Caron, l'œuvre peint,* EPA, 1988.

Maurice Chastrette. *L'Art des parfums,* Ed. Hachette Littérature, coll. « Questions de sciences », 1995.

Alain Corbin. *Le Miasme et la jonquille. L'odorat et l'imaginaire social 18e-19e siècles,* Aubier-Montaigne, 1982 (rééd. Flammarion, coll. « Champs », 2008).

Maryline Desbiolles. *Le Printemps de Guerlain,* Le Cherche-Midi Editeur, 2006.

Catherine Donzel. *Le Parfum,* Ed. du Chêne-Hachette Livre, coll. « Les cahiers de la mode », 2000.

Paul Faure. *Parfums et aromates dans l'Antiquité,* Ed. Fayard, 1987.

Paul Faure, Jean Verdon et Annick Le Guérer. *Histoires en parfums* (parfums réalisés par Jean-Claude Ellena), Ed. du Garde-Temps, coll. « La mémoire des odeurs », 1999 (rééd. 2006).

Colette Fellous. *Guerlain,* Denoël, 1987.

Elisabeth de Feydeau. *Jean-Louis Fargeon parfumeur de Marie-Antoinette.* Ed. Perrin/ Château de Versailles, 2005.

Marie-Christine Grasse, Elisabeth de Feydeau et Freddy Ghozland. *L'Un des sens. Le parfum au 20e siècle,* Ed. Milan, 2001.

Une histoire mondiale du parfum des origines à nos jours. Ouvrage collectif réalisé sous la direction de Marie-Christine Grasse. Ed. Somogy, 2007.

Annick Le Guérer. *Le Parfum réenchanté* (à paraître en 2009 aux éditions Odile Jacob).

Annick Le Guérer. *Le Parfum, des origines à nos jours,* Ed. Odile Jacob, 2005.

Annick Le Guérer. *Les Pouvoirs de l'odeur,* Julliard, 1988 (rééd. Odile Jacob, 2002).

Annick Le Guérer. *Sur les routes de l'encens : les grandes recettes de parfums* (parfums composés par Dominique Ropion), Ed. du Garde-Temps, coll. « La mémoire des odeurs », 2001.

Nathalie Lovenou- Melki. *L'Univers du parfum,* Ed. Ouest-France, 2005.

Jean-Marie Martin-Hattemberg. *Caron,* Milan, 2000.

Fabienne Pavia. *L'Univers des parfums,* Ed. Solar, 1995.

Eliane Perrin. *La Parfumerie à Grasse ou l'exemplaire histoire de Chiris,* Episud, 1987.

Brigitte Proust. *Petite géométrie des parfums,* Seuil, coll. « Science ouverte », 2006.

Luca Turin. *Parfums. Le guide,* Hermé, 1994. (*Perfumes, The Guide,* nouvelle édition de cet ouvrage, coécrit avec Tania Sanchez, vient de paraître aux Etats-Unis, aux éditions Viking.)

Rebecca Veuillet-Gallot. *Le Guide du parfum, pour elle et lui,* Ed. Hors-Collection, 2004.

Odeurs : l'essence d'un sens. Ed. Autrement, série «Mutations», n° 92, septembre 1987.

Questions de parfumerie. Essais sur l'art et la création en parfumerie. Ouvrage collectif. Corpman Ed. Groupe du Colisée, 1988.

QUAND LES NEZ PRENNENT LA PLUME

Josette Gontier et Jean-Claude Ellena. *Mémoire du parfum*, Equinoxe, 2003.

Jean-Claude Ellena. *Le Parfum*, PUF, coll. « Que sais-je ? », 2007.

Jean-Paul Guerlain. *Les Routes de mes parfums*, Ed. Le Cherche-Midi, 2002.

Maurice Maurin. *La Sagesse du créateur de parfum*, L'Œil Neuf Ed., coll. « Sagesse d'un métier», 2006.

Guy Robert. *Les Sens du parfum. Un demi-siècle de parfumerie ou l'ode aux nez légendaires et à leurs accords sublimes*, Ed. OEM, 2000.

Edmond Roudnitska. *L'Esthétique en question. Introduction à une esthétique de l'odorat*, PUF, Paris, 1977.

Edmond Roudnitska. *Le Parfum*, PUF, coll. « Que sais-je ? », 1980 (rééd. 2000).

Edmond Roudnitska. *Une vie au service du parfum*, Thérèse Vian Editeur, 1991.

LITTÉRATURE PARFUMÉE

Honoré de Balzac. *César Birotteau* (1898), Ed. Garnier-Flammarion, 2008.

Charles Baudelaire. *Les Fleurs du mal* (1857), Ed. Garnier Flammarion, coll. « Etonnants classiques », 2008.

J. K. Huysmans. *A rebours* (1884), Gallimard, coll. « Folio », 1977.

Percy Kemp. *Musc*, Albin Michel, 2000.

Nathalie Kuperman. *L'Heure bleue*, L'Ecole des loisirs, coll. « Médium », 2007.

Frédéric Mars. *Son parfum*, Ramsay, 2006.

G.W. Septimus Piesse. *L'Art oublié du parfum* (1857), Max Milo Editions, 2006.

Marcel Proust. *Du côté de chez Swann*, in *A la recherche du temps perdu* (1913), Gallimard, coll. « Folio », 1989.

Patrick Süskind. *Le Parfum. Histoire d'un meurtrier* (1985), Fayard, 1988 (Livre de Poche, 2006).

Frédéric Walter et Marie Wiegel. *Extraits de parfums. Une anthologie de Platon à Colette*, Institut Français de la Mode / Ed. du Regard, 2003.

SUR LE NET

www.biblioparfum.net

Les critiques olfactives de Chandler Burr pour le *New York Times* :
http://themoment.blogs.nytimes.com/author/nytburr

Le dossier « Parfums » du site Sagascience, édité par le CNRS :
www.cnrs.fr/cw/dossiers/doschim/decouv/parfums/

www.auparfum.com
www.osmoz.fr
www.toutenparfum.com

Blogs consacrés aux parfums

En français
www.lecritiquedeparfum.com
http://ambregris.blogspot.com

En anglais
www.nowsmellthis.com
http://sniffapalooza.com
http://1000fragrances.blogspot.com
www.basenotes.net

Lieux parfumés

Annick Goutal
16, rue de Bellechasse, Paris-7e.
Tél. : 01 45 51 36 13.
www.annickgoutal.com

L'Artisan Parfumeur
2, rue de l'Amiral-Coligny, Paris-1er.
Tél. : 01 44 88 27 50.
www.artisanparfumeur.com

Caron
34, avenue Montaigne, Paris-8e.
Tél. : 01 47 23 40 82.
www.parfumscaron.com

Cartier
13, rue de la Paix, Paris-2e.
Tél. : 01 58 18 23 00.
www.cartier.com

Chanel
31, rue Cambon, Paris-1er.
Tél. : 01 42 86 26 00.
www.chanel.com

Comme des Garçons
23, place du Marché-Saint-Honoré, Paris-1er.
Tél. : 01 47 03 15 03.

Dior
33, avenue Hoche, Paris-8e.
Tél. : 01 49 53 88 88.
www.dior.com

Diptyque
34, boulevard Saint-Germain, Paris-5e.
Tél. : 01 43 26 77 44.
www.diptyqueparis.com

Editions de Parfums Frédéric Malle
21, rue du Mont-Thabor, Paris-1er.
Tél. : 01 42 22 76 40.
www.editionsdeparfums.com

Etat Libre d'Orange.
Espace de libertinage olfactif
69, rue des Archives, Paris-3e.
Tél. : 01 42 78 30 09.
www.etatlibredorange.com

Galerie-Musée Baccarat
11, place des Etats-Unis, Paris-16e.
Tél. : 01 40 22 11 00.
www.baccarat.fr

Guerlain
68, av. des Champs-Elysées, Paris-8e.
Tél. : 01 45 62 52 57.
www.guerlain.com

Hermès
24, rue du Faubourg-Saint-Honoré, Paris-8e.
Tél. : 01 40 17 47 17.
www.hermes.com

Jovoy
10, rue du Colisée, Paris-8e.
Tél. : 01 42 86 03 16.
www.jovoyparis.com

Maître Parfumeur et Gantier
5, rue des Capucines, Paris-1er.
Tél. : 01 42 42 64 56.
www.maitre-parfumeur-et-gantier.com

Musée international de la parfumerie
2, boulevard du Jeu-de-Ballon, Grasse
(Alpes-Maritimes).
Tél. : 04 97 05 58 00.
www.museesdegrasse.com

Musée et Jardin Christian Dior
Villa Les Rhumbs, rue Estouteville, Granville
(Manche).
Tél. : 02 33 61 48 21.
www.musee-dior-granville.com

Musée Baccarat
Rue des Cristalleries, Baccarat.
(Meurthe-et-Moselle).
Tél. : 03 83 76 61 37.

L'Osmothèque
Conservatoire international des parfums
36, rue du Parc-de-Clagny, Versailles (Yvelines).
Tél. : 01 39 55 46 99.
www.osmotheque.fr

Parfumerie Galimard
73, route de Cannes, Grasse.
Tél. : 04 93 09 20 00.
www.galimard.com

Parfums Molinard
60, boulevard Victor-Hugo, Grasse.
Tél. : 04 93 36 01 62.
www.molinard.com

Jean Patou
5, rue de Castiglione, Paris-1er.
Tél. : 01 42 92 07 22.
www.jeanpatou.com

Patricia de Nicolaï
69, avenue Raymond-Poincaré. Paris-16e.
Tél. : 01 47 55 90 44.
www.pnicolai.com

Santa Maria Novella
(chez Amin Kader)
1, rue de la Paix, Paris-2e.
Tél. : 01 42 61 33 25.

Salons du Palais-Royal - Shiseido
Jardins du Palais-Royal
142, galerie de Valois, Paris-1er.
Tél. : 01 49 27 09 09.
www.salons-shiseido.com

Yves Saint Laurent
38, rue du Faubourg-Saint-Honoré, Paris-8e.
Tél. : 01 42 65 74 59.
www.ysl-parfums.com

Et aussi : Balenciaga, Comptoir Sud Pacifique, Givenchy, Lancôme, Lanvin, Guy Laroche, Jo Malone, Parfums d'Empire, Penhaligon's, LT Piver, Nina Ricci, Rochas, The Different Company...

COUPS DE CŒUR

Aedes de Venustas à New York.
9 Christopher Street, NY. (www.aedes.com)
Un véritable boudoir dédié aux plus belles marques de niche : Annick Goutal, Diptyque, L'Artisan Parfumeur, Serge Lutens, Maître Parfumeur et Gantier, Parfums d'Empire, Penhaligon's, Santa Maria Novella... Et un accueil des plus chaleureux.

Parfums MDCI (parfumsmdci.free.fr).
Ceux pour qui le flacon contribue à l'ivresse tout autant que le jus seront séduits par les parfums MDCI. Parfums rares, flacons précieux, telle est la devise de ces fragrances mystérieuses qu'on ne trouve pas encore en France : Ambre Topkapi, créé par Pierre Bourdon en 2004. Invasion Barbare, conçu par Stéphanie Bakouche en 2005. Promesse de l'Aube, Rose de Siwa et Enlèvement au Sérail, composés par Francis Kurkdjian en 2006.

ATELIERS D'INITIATION À LA PARFUMERIE

Chez L'Artisan Parfumeur
Séances d'initiation olfactive pour se familiariser avec les matières premières et les grandes compositions de la marque. Jeux olfactifs, exercices de reconnaissance pour s'amuser à laisser son nez parler...
Tél. : 01 44 88 27 50. www.artisanparfumeur.com

Chez Cinquième Sens
18, rue de Monttessuy, Paris-7e.
Atelier de création et Orgue du parfumeur.
Tél. : 01 47 53 79 16. www.cinquiemesens.com

Chez Evody
Une parfumerie qui propose les marques de niche — Acqua di Parma, Miller Harris, The Different Company... — et des ateliers olfactifs.
63, rue Saint-André-des-Arts, Paris-6e.
Tél. : 01 55 42 06 54. www.evody.com

Chez Thierry Mugler
Ateliers autour des parfums, des vins, du chocolat...
Tél. : 01 53 05 25 88. www.ateliersparfums.com

Remerciements

Un grand merci à Sophie Cauchy et Frédéric Walter, chez Givaudan, qui nous ont permis de concrétiser notre projet, ainsi qu'à Jean Kerléo, Patricia de Nicolaï et Olivier Polge, qui ont été parmi les premiers à nous soutenir.

Notre historique des parfums doit beaucoup aux travaux d'Annick Le Guérer, spécialiste du parfum et du monde des odeurs. Nous la remercions chaleureusement pour avoir bien voulu relire ces pages et y apporter des précisions.

Nous remercions également Jean Guichard, Markus Gautschi et Rémi Pulvérail (Givaudan), Patricia de Nicolaï, Sylvaine Delacourte (Guerlain) et Olivier Schneid pour leurs relectures attentives.

Merci aussi à Patrick Kéchichian et au docteur Gilles Lelièvre pour la patience de ses explications.
A Jean-Christophe Le Grèves, Isabelle Ferrand (Cinquième Sens), Liliane Ménard (Serge Lutens), Laura di Maggio (Diptyque), Juliette Mehaye (Hermès), Patrick Doucet et Marika Genty (Chanel), Isabel Rueda (Dior), Chantal Evrard (Caron), Perrine Gamerre (L'Artisan Parfumeur), Elisabeth Sirot et Elodie Le Gleut (Guerlain), Christine Pigot-Sabatier (Jean Patou), Chinda Bandhavong (YSL-Beauté), Meryll Rio (Annick Goutal), Audrey Tyan (Editions de Parfums Fréderic Malle). Et à Luc Charbonnier, Cédric Kerviche et Claude Vergnot-Kriegel.

Ainsi qu'aux parfumeurs qui ont bien voulu jouer le jeu des questions-réponses : Daniela Andrier (Givaudan), Jacques Cavallier (Firmenich), Sylvaine Delacourte (Guerlain), François Demachy (Dior), Isabelle Doyen (Annick Goutal), Bertrand Duchaufour (L'Artisan Parfumeur), Jean-Michel Duriez (Patou), Jean-Claude Ellena (Hermès), Richard Fraysse (Caron), Camille Goutal (Annick Goutal), Nathalie Gracia-Cetto (Givaudan), Jean-Paul Guerlain (Guerlain), Jean Kerléo, Jean Laporte, Serge Lutens, Shyamala Maisondieu (Givaudan), Frédéric Malle, Patricia de Nicolaï, Jacques Polge (Chanel), Olivier Polge (IFF) et Michel Roudnitska.

Cet ouvrage a été édité avec la participation de Givaudan°

Auteur : Béatrice Boisserie
Conception visuelle et éditoriale : Coco Tassel

5, impasse Popincourt, Paris-11e.
www.paja-editions.com
Imprimé à Città di Castello en Italie
par Artegraf srl
Dépôt légal : novembre 2008
 / ISBN : 978-2-916059-05-1

Parfumez-moi

Parfumez-moi

Parfumez-moi

Parfumez-moi

Parfumez-moi

Parfumez-moi

Parfumez-moi

Parfumez-moi

Parfumez-moi

Parfumez-moi

Parfumez-moi

Parfumez-moi

Parfumez-moi

Parfumez-moi

Parfumez-moi

Parfumez-moi

Parfumez-mo

Parfumez-mo

Parfumez-mo

Parfumez-mo

Parfumez-mo

Parfumez-mo

Parfumez-mo

Parfumez-mo

Parfumez-mo

Parfumez-mo

Parfumez-mo

Parfumez-mo

Parfumez-mo

Parfumez-mo

Parfumez-mo

Parfumez-mo

Parfumez-moi

Parfumez-moi

Parfumez-moi

Parfumez-moi

Parfumez-moi

Parfumez-moi

Parfumez-moi

Parfumez-moi

Parfumez-moi

Parfumez-moi

Parfumez-moi

Parfumez-moi

Parfumez-moi

Parfumez-moi

Parfumez-moi

Parfumez-moi

Parfumez-moi

Parfumez-moi

Parfumez-moi

Parfumez-moi

Parfumez-moi

Parfumez-moi

Parfumez-moi

Parfumez-moi

Parfumez-moi

Parfumez-moi

Parfumez-moi

Parfumez-moi

Parfumez-moi

Parfumez-moi

Parfumez-moi

Parfumez-moi